영원한 법궁, 경복궁

한양길라잡이 전문해설지침서 궁궐투어편 1

저자소개

이상욱

한양길라잡이 대표

1. 역사를 좋아하던 아이

아이는 초등학교 때 한글을 배우자마자 또래 아이들이 주로 보던 만화책보다는 작은 글씨로 쓰여진 역사책과 두꺼운 인물 사전을 생각 없이 무작정 읽었습니다.

이후 자연스럽게 지리책과 역사부도책(지리+역사)을 보는 것이 즐겁기만 했습니다. 덕분에 자신도 모르게 역사적인 사고 체계를 이루었는지 입학 후 국사 시험마다 제일 좋은 성적을 거두었습니다.

하지만 고등학교 시절 문과와 이과를 선택할 때 '남자는 공대를 가야 한다'라는 이유로 이과를 택했고, 어쩔 수 없이 오랫동안 역사를 잊고 살았습니다.

2. 궁궐해설사가 되다.

그래도 TV에서 방영하는 역사 프로그램은 꼬박꼬박 시청했습니다. 그리고 가끔 역사 관련 장소를 둘러보는 것이 역사에 대한 갈증 해소의 유일한 길이었습니다.

그러던 어느 날, 우연히 궁궐을 둘러보다가 관련 해설을 듣고 "우리 역사에 관련해서 내가 할 수 있는 것이 있구나"라는 신선한 자극을 받았습니다. 자원봉사로 하는 궁궐 해설 활동이었습니다.

3. 우리 역사에 대한 갈증

이후 10년간 자원봉사 활동을 하며 궁궐을 벗어나 조선왕릉과 한양도성을 접하고 더 나아가 북촌, 서촌, 정동에 이어 청계천으로 확대하며 공부할수록 궁금증과 각각의 공간 특징을 알게 되었습니다.

4. 한양길라잡이 네이버 카페 운영

한양이라는 공간에 심취하다 보니 '이토록 갈 곳과 볼 곳이 많은 곳이 있을까'라는 매력에 스스로 빠져들었습니다.

그래서 2010년부터는 한양 내 역사와 문화 관련지에 대해 강의와 도보투어를 하는 네이버 카페를 운영하게 되었고, 한양의 역사에 관심 있는 분은 누구라도 함께 할 수 있도록 지금까지 운영 중에 있습니다.

5. 전문 강사가 되다.

해설 활동과 카페 운영을 통한 자신감은 '서울시 50플러스재단' 내 캠퍼스와 여러 센터의 강의 및 라이나생명 산하 '전성기캠퍼스' 강의 등 5년간 250여 차례의 한양 관련 역사 강의로 외연이 확장되었습니다.

6. 걸어온 길, 걸어갈 길

이후 서울시민대학 강사, 인천인재개발원 강사, 서대문구 역사문화자문관으로 활동을 했습니다.

무엇보다도 한양길라잡이 대표로 활동하면서, 지금까지의 강의와 현장답사를 토대로 하여 이번에 한양 역사 관련 시리즈의 책을 발간하게 되었습니다.

| 도움주신 분들: 김선희, 김안나, 김연화, 서은화, 송은주, 정진희

들어가며

균형 있는 한길사관

1. 흐름으로 이해하는 학문, 역사

역사는 암기 과목일까? 아니다. 역사는 이해 과목이다.

왜냐하면 오랜 시간, 수많은 사람들이 각자의 상식을 바탕으로 행한 흔적의 결과가 역사이기 때문이다.

조선왕조가 창업되자 이를 따르는 자들도 있고, 반대한 자들도 있는 것은 예나 지금이나 마찬가지다. 새로운 술은 새로운 포대에 담듯이 새로운 조선왕조는 새로운 정치 철학을 내세웠다. 세습되는 국왕과 귀족 신분의 고려왕조와는 달리 조선왕조는 국왕에게만 세습을 한정하고, 그 외는 과거제도를 통해 누구든 입신양명할 수 있는 열린 사회를 만들었다.

덕분에 조선왕조는 건국 후 200년간 태평성대를 누렸고, 이는 꽤 긴 시간이었다.

하지만 1592년 일본의 침략과 6년간의 전쟁으로 한양을 비롯한 전 국토는 잿더미가 되었다. 군인은 물론이고 농민들도 즉시 농기구 대신 활과 창을 들고 왜적과 싸웠는데, 이 당시 농민들은 의병이 아니라 조선왕조의 절묘한 경제·군사의 절충책인 '병농일치제'에 의한 군인이나 마찬가지였다.

결국 왜란의 영향으로 외적으로부터 국토를 지킬 직업군인제의 필요성이 대두되어 훈련도감이 신설되었고, 인조반정 이후 이괄의 난과 정묘호란으로 금위영과 어영청이 추가로 설치되며 조선 후기 직업군인 제도가 탄생된 것이다.

그런데 농사를 짓지 않는 군인들로 인해 늘어난 국가의 재정 부담을 조선왕조는 어떻게 해결했을까? 해법은 대동법이었다.

대동법을 통해 부정부패의 방납제도를 개선해서 백성들의 세금 부담을 줄인 후, 농사를 짓기 위해 군대를 안 가는 백성들에게는 군역 대신 군포(軍布)를 부과하여 국가 재정을 유지하였다.

이후 조선왕조는 재건되었고, 한양은 늘어난 군인과 그 가족들로 상주인구가 늘어나며 주택난 등의 도시문제도 발생했다. 반면 늘어난 인구로 상업이 발전하고, 시전 거리를 넘어 난전, 한강을 중심으로 한 경강상업까지 발전하게 되었다.

조선 후기에는 청국과의 조공무역이 확대되었고 이로써 세력이 커진 역관을 중심으로 신분 상승을 꿈꾸는 중인들이 출현하였다. 이들은 '양반 따라 하기'를 하며 송석원 시사, 백탑파 등 역사의 한 축으로 나타나기도 하였다.

지금까지의 이야기가 어떠한가? 자연스럽게 술술 풀려간다.

이것이 흐름의 역사다. 그런데 우리는 조선의 건국, 두문불출, 신진사대부, 한양천도, 과거제도, 병농일치제, 훈련도감, 인조반정, 정묘호란, 금위영, 어영청, 방납제도, 대동법, 상업발전, 경강상업, 조공무역, 중인 출현, 송석원 시사, 백탑파 등 흐름이 아닌 용어별로, 인과관계를 따져보지도 않고 끊어서 달달 외웠다.

2. 기록들의 행간에서 역사를 보다.

역사에 우연은 없다. 다만 우연으로 착각한 필연만 있을 뿐이다.

예를 들어 동학농민혁명은 고부군수 조병갑의 횡포 때문에 발생한 것일까? 반대로 조병갑이 부정부패를 저지르지 않았다면 동학농민혁명은 없는 것일까?

이 말은 무엇을 뜻할까? 당시 조선 백성들의 자주적인 근대의식을 은폐하고 조병갑으로 대표되는 조선왕조의 부정부패에만 초점을 맞춘 식민사관이다.

예 하나를 더 들어보자.

임오군란은 13개월 만에 받은 녹봉에 모래가 섞여 나오자, 그동안 쌓였던 불만이 터지며 발생한 것으로 알고 있다. 반대로 13개월 만에 받은 녹봉에 모래가 좀 섞이면 어떠한가, 오매불망 나오길 기다렸던 녹봉인데... 나라면 불만은 좀 있어도 그저 감사했을 것이다.

이 말은 무엇을 뜻할까? 이 또한 조선 망국의 원인을 부정부패한 내부 문제로 강조하며, 일제의 침략이라는 외부 요인을 은폐한 것이다.

사실 13개월 만에 녹봉이 나왔어도 그동안 군인들이 참았던 이유는 조선 정부가 군인들에게 먹고 살 수 있도록 특별히 상업을 허락했기 때문이었다.

이렇듯 기록에만 의지하면 역사의 진실이 잘 안 보일 수도 있다. 특히 근대사에 해당되는 고종실록과 순종실록의 내용들이 더욱 그렇다.

실록이란 군주가 승하한 후에 작성하는 것이 원칙인데 고종과 순종은 각각 일제강점기 시기인 1919년과 1926년에 승하했으므로 일제에 의해 왜곡되어 작성되었다. 그래서 국내 사학계는 스스로 고종실록과 순종실록을 제외하고 철종실록까지만 세계기록유산으로 등재하였다.

그런데 대부분의 사람들이 근대사를 말할 때 고종실록과 순종실록을 근간으로 하는 모순된 발언을 하고 있다. 단순한 기록들은 문제가 안 되겠지만, 앞서 언급한 동학농민혁명과 임오군란 등 정치적인 이슈의 내용은 예외 없이 식민사관으로 왜곡되어 있다.

일제는 우리 역사를 유린할 때 유물과 유적 그리고 기록이 존재하는 것만 역사로 인정하는 실증사관으로 대했다.

실증사관은 역사를 최소한으로 보는 것이다. 기록은 있는데 유물이나 유적이 없으면 역사가 아니라는 것이다. 또한 유물과 유적이 버젓이 있어도 기록이 없으면 역사로 인정하는 것을 주저했다.

이런 실증사관으로 우리 역사를 부정적으로 왜곡시키고, 식민사관으로 내부망국론을 강조한 일제강점기 전문기관이 '조선사편수회'다.

조선사편수회에서 활동했던 사람들이 해방 후 대학 강단과 사학단체에서 주도적인 활동을 하며 국내 사학계에 식민사관을 전파한 것이다.

일반적으로 사람들은 식민사관이 잘못된 것이라고 인식을 하면서도, 어떠한 역사적인 내용을 받아들일 때 다음의 두 가지를 기준으로 삼는 오류를 범하게 된다.

첫째, '어느 유명인의 발언인가' 이른바 브랜드 효과다.

역사 관련 유명인이 언급한 것이라면 발언 내용의 배경과 취지와는 무관하게 기록을 바탕으로 한 것으로 인식하고 무조건 의심 없이 받아들인다.

둘째, '어디에 근거가 있는가' 이른바 흐름을 도외시한 실증사관의 잠재된 인식이다. 상식적으로 모든 역사적 사실이 기록되지는 않았을 것이고, 기록된 모든 내용들이 반드시 진실만은 아니리라는 것이다. 따라서 기록에 없다고 역사적 사실이 아니라는 고정된 인식은 잘못된 것이다.

그러므로 기록과 기록 사이의 행간을 꿰뚫어 보는 시각으로 역사적 사실에 다가가야 한다. 물론 오류가 있을 수도 있겠지만, 그것이 두려워 기록에만 의지하는 실증주의적 사관에 매달리는 안일한 태도에서 벗어나야 한다. 그런 오류는 끊임없는 학습과 교차검증 그리고 역사의 흐름으로 극복해야 한다.

3. 흐름과 행간의 균형감 있는 해설

대부분의 궁궐 해설사는 궁궐건축과 왕실문화 그리고 그에 따른 문양과 명칭에 편중된 해설을 하고 있다. 물론 틀린 것은 아니지만 균형감이 부족하다는 점에서 아쉬움이 크다.

전문적으로 문양과 명칭을 강조하는 만큼, 공간의 역사적 의미와 위상도 같은 수준으로 설명하거나 필요에 따라서는 더욱 강조해야 한다.

예를 들어 근정전 해설 중 월대와 서수들의 설명도 필요하다.

하지만 조선의 국왕이 왜 부지런해야 하는지, 군림하되 통치하지 않는 세습 군주를 중심으로 세습이 안 되는 재상들이 국정을 이끌어간 조선왕조가 다른 나라와는 무엇이 다른지 등을 더 비중있게 설명하여야 한다.

사정전에서는 사관제도, 언관제도, 경연제도와 연계시켜 사정전의 역사적 위상을 알려주는 균형감 있는 해설이 되어야 한다. 그러나 현실은 기록에 의해 조성된 거라며 앙부일구 설명에 많은 시간을 할애하고 있다. 역사적 위상으로 볼 때 대표적인 불균형 안내를 하고 있는 셈이다. 표현하기 어려운 무형적 가치인 사관제도, 언관제도 그리고 경연제도는 종묘제례와 종묘제례악처럼 상세한 안내판이나 영상으로 보여주면 될 텐데 아쉬움이 크다.

　건청궁과 향원지 주변에서 밝힌 '국내 최초의 전기'는 중국 중심의 전통적 화이론이 붕괴된 현실에서 서양 국가들과의 교류 중요성을 말해주고 있다. 척양척왜(斥洋斥倭) 인식이 팽배한 시기에 전기를 통해 서양식 문화의 이점을 가시적으로 보여주려 했던 국왕과 왕비의 개혁개방 의지를 강조해야 한다.

　이런 역사적 의미가 큰 전기 생산을 친일파 유길준이 비아냥거리며 조롱한 '물불'과 '건달불'로만 말하는 균형감 잃은 해설이 되어서는 안 된다는 것이다.

이상욱
한양길라잡이 대표

목차

저자소개 2

들어가며... 균형 있는 한길사관 4

01. 조선과 대한민국의 상징 광화문 13
   역사로 본 광화문 수난사 | 조선중화주의의 상징 광화문 월대

02. 일제가 헐고 우리가 오욕하는 흥례문 19

03. 사치스러움을 멀리한 근정전 22
   검이불루 화이불치의 근정전 | 영원토록 지켜라

04. 재상정치를 꿈꾼 근정전 26
   세습군주의 게으름을 경계한 근정전 | 세습않는 재상정치를 펼친 근정전

05. 민본정치의 공간 사정전 29
   세계 최장수 왕조 조선 | 국정의 목적 민본 | 민본정책의 세가지 구현방식

06. 영광과 욕됨이 서린 수정전 35
   조선왕조를 반석 위에 올린 집현전 | 조선왕조를 해체시켜버린 군국기무처

07. 경회루의 세가지 기능 40
   특별한 기우제 장소 | 화이불치의 사신접대 장소 | 민본을 인식한 연회장소

08. 차기왕권과 붕당정치의 예비공간 동궁 46
   차기왕권의 공간 | 붕당정치의 예비공간 | 계조당 조성과 훼철의 의미

09. 국왕의 건강관리 강녕전 51
   오복중 최고는 강녕 | 건강관리의 세 가지 비법

10. 왕실과 공동운명체 교태전　55
　　간택의 진정한 목적 | 불가근불가원의 척신

11. 왕비로 산다는 것, 교태전　59
　　할 일 많은 왕비 | 대군 출산을 위한 바람

12. 척신정치의 차단? 자경전　63
　　조대비와 흥선대원군의 정치결탁 | 멋진 전각에 조대비를 모시다

13. 우여곡절의 흥복전　66
　　대비전으로 조성된 흥복전 | 편전과 정전으로 바뀌다

14. 건청궁 권역 집경당과 함화당　70
　　소편전 집경당 | 소침전 함화당

15. 고종과 왕비의 공간 향원정　72
　　밤새 나랏일을 걱정하다 | 왜곡된 근대화 실험장

16. 역사왜곡의 시발점 을미왜란　77
　　건청궁 영역의 탄생과 확장 | 근대사 왜곡의 신호탄 을미왜란

17. 을미왜란의 3단계 왜곡　81
　　을미왜란 진실에 다가가기 | 왜곡 1단계, 강제동원된 대원군 |
　　왜곡 2단계, 훈련대의 반란 | 왜곡 3단계, 낭인의 존재 |
　　식민사학의 원흉 기쿠치 겐조

18. 고종의 근대화 공간 집옥재 · 팔우정 · 협길당　88
　　고종의 접견실 집옥재 | 구본신참의 집옥재 주변

19. 역행에서 시민에게 돌아온 신무문　92
　　평화로왔던 닫힌 문 | 모반의 역사를 지켜 본 신무문

5대 궁궐의 특징　96

한양길라잡이 책 시리즈　102

01
조선과 대한민국의 상징 광화문

역사로 본 광화문 수난사

존재할 때나 존재하지 않을 때나 늘 법궁의 위상을 가진 경복궁의 중심 문인 남문이 광화문이다.

태조 때 경복궁의 궁성을 추가로 두르면서 기존의 오문(午門)인 흥례문과는 별도로 정도전은 경복궁의 문을 동문(건춘문), 서문(영추문) 그리고 남문(광화문)이라 불렀다.

태종 승하 후 경복궁으로 이어한 세종 때, 집현전 학사들이 군주의 덕이 사방에 미친다는 뜻으로 서경(書經)의 '광피사표 화급만방(光被四表 化及萬方)'에서 따와 '광화문'이라 개명했다.

광화문은 다른 궁궐의 남문과는 달리 하단이 석축이고 세 개의 홍예문(虹霓門)으로 조성되었다. 광화문 앞은 국왕의 공식 행차가 행해지는 국중로이자 조선왕조 최대 규모 도로인 육조거리의 출발점이다.

국왕 중심으로 국정을 논의하는 궁궐과 재상 중심으로 국정을 실행

하는 최고행정기관 육조와의 경계선이자 중심점이 바로 광화문인 셈이다. 임진왜란으로 경복궁과 함께 소실된 광화문은 1865년 대원군이 중건했다.

일제강점기 조선총독부는 총독부 청사 앞의 시야를 가린다는 이유로 광화문을 철거하려 했으나 미술평론가 야네기 무네요시의 반대로 철거 반대 여론이 들끓자 철거 대신 1927년 경복궁 동쪽으로 이건했다.

광화문은 해방 후 한국전쟁 때 상단부 문루가 파괴되는 아픔도 겪었다. 1965년 한일 국교정상화에 따른 국민들의 반일 의식을 누그러뜨리고자 1968년 박정희 정권은 '애국선열조상건립위원회'를 구성 후 남산을 중심으로 여러 곳에 많은 선열들의 동상을 건립했다.

이런 분위기에서 1968년 4월 27일 광화문광장 세종로에 세종대왕이 아닌 이순신 장군 동상을 건립 후, 연이어 12월 11일 동쪽에 있던 광화문을 원래의 자리로 이전했다.

하지만 조급증으로 인해서일까. 불타 없어진 문루는 콘크리트로 대신하고 현판은 박정희 대통령의 한글 친필로 제작하였다.

기막힌 것은 총독부 청사 건물과 나란히 하는 바람에 원래 위치에서 3.75도 서측으로 기울어진 위치에 복원됐다. 당시의 문화재에 대한 낙후된 인식을 고스란히 엿볼 수 있는 사례였다.

다행히 2006년 광화문 제모습 찾기 사업으로 전통 방식의 문루와 현판을 복원했지만, 석 달 만에 현판에서 균열이 생기자 2010년에 다시 수리했다. 하지만 원래의 현판이 찍힌 옛 사진의 뒤늦은 발견으로 또다시 시끄러워졌다.

2018년 경복궁 영건일기에서 광화문 현판이 근정전 현판처럼 검은 바탕에 글자 모양의 동판을 오려서 목판에 붙이고 금칠을 했다는

'묵질금자(墨質金字)'라는 구절을 발견한 것이다. 결국 2023년 10월, 광화문 앞 월대와 검은 바탕에 금박 글씨의 현판으로 복원하며 거의 100년간의 광화문 수난이 끝나게 되었다.

해방 후 우리는 왜 광화문의 원래 모습에 이토록 매달렸을까?
그것은 광화문이 조선의 상징을 넘어 대한민국의 상징이 되었기 때문이다.

조선중화주의의 상징 광화문 월대

광화문 월대가 2023년 10월에 복원되었다. 광화문의 위엄을 나타내려고 한 것인데 약간의 과도함도 있어 보이지만 해놓고 보니 그럴듯하다. 최근 광화문을 배경으로 한 야간조명이 월대와 어우러져 멋져 보이기도 하다.

광화문 월대에 대한 이야기는 세종 시기에 처음 나타난다.
관리들이 광화문 앞까지 말을 타고 와서 내리는 모습이 무엄하고, 칙사를 맞이할 때 문으로 바로 들어오는 것이 예의에 어긋난다는 것이었다. 국왕의 권위와 중국에 대한 사대(事大)를 강화하기 위해 월대 조성이 거론되었지만, 월대는 끝내 조성되지 않았다.
한편 월대가 없던 광화문 앞에서는 여러 왕실 행사가 있었다.
하지만 대원군에 의해 광화문 월대가 조성된 후에는 도리어 행사가 사라지고 국왕과 백성 사이의 소통 공간 기능도 사라졌다.

| 광화문과 월대

목조로 된 궁궐 정문은 돌로 기단을 쌓고 그 위에 건축물을 짓기 때문에 월대가 필수였다. 그래서 창덕궁 돈화문과 덕수궁 대한문 앞에는 월대가 있다. 그러나 비정치 궁궐인 창경궁과 법궁의 위상까지 오르지 못한 경희궁에는 월대가 없다.

광화문은 위층의 문루만 목조이고 아랫부분은 석조여서 사실 월대가 필요 없는 구조이다. 한양도성의 숭례문, 흥인지문, 돈의문 같은 문들이 석조여서 월대가 없는 것과 같은 이유다.

중국도 자금성의 천안문, 단문, 오문에도 월대가 없다가 태화전에 이르러서야 월대가 나타난다.

그렇다면 대원군은 왜 광화문 앞에 월대를 조성했을까?

창덕궁 돈화문 앞에도 월대가 있는데, 조선 제일의 법궁인 경복궁 광화문 앞에 월대가 없다는 것이 자연스럽지 않았을 것이다.

한편으로는 1, 2차 아편전쟁으로 붕괴되는 중국을 보며 더 이상 중국의 눈치를 볼 필요 없다고 생각한 것도 한몫했을 것이다.

문화국을 의미하는 중화(中華)인 명나라가 망국했으니 '진정한 중화는 조선뿐이다'라는 조선중화주의를 대놓고 드러낸 것으로 보인다.

이런 맥락으로 보면 근정전 내부 천장의 칠조룡과 월대 난간 모퉁이의 12지신 조각상 중 개와 돼지가 없는 것도 중국을 의식한 것이 아니고 조선중화주의 인식을 표현한 것으로 보인다.

이야기가 나온 김에 좀 더 나아가보자.

광화문 월대 앞 해태상도 많은 변화 끝에 조선만의 여러 인식을 더한 조선중화주의 산물로 보인다.

해치, 해채 등 여러 이름으로 불린 해태는 원래 중국 한나라 황제의 사냥감인 실존 동물이었다. 이후 해태는 머리에 뿔이 나고, 옳고 그르다는 시비(是非)를 가려주는 상서로운 상상의 동물로 변했다. 그리고 불의 짐승 또는 관악산 화기를 재운다며 정반대인 물의 짐승이 되기도 하였다.

그러나 육조대로의 해태상은 뿔도 사라지고, 사자와 신양(神羊)의 모습, 하마비의 기능이 추가되며 우리가 바라는 모습으로 조성된 조선중화주의 산물로 나타난 것이다.

광해군 때 조성한 경희궁 숭정전 천장에도 칠조룡이 있다. 처음부터 칠조룡이었는지 아니면 일제강점기 때 현재의 자리(동국대 정각원)로 이건 후 불당으로 사용되며 칠조룡이 조성된 건지 알 수는 없다. 하지만 분명한 것은 명나라 망국 이전으로, 조선중화주의라고 보기에는 이른 감이 있다.

고종이 황제로 등극한 환구단에서 신주를 보관한 황궁우 천장에는 팔조룡이 조성되어 있다. 자주독립국가로서의 명분이 필요했던 당시 시대 상황을 보면 충분히 이해가 간다.

　　황궁우의 팔조룡은 경복궁 근정전 천장의 칠조룡을 더 설득력 있게 하고 있다.

02
일제가 헐고 우리가 오욕하는 홍례문

광화문과 근정문 사이에 위치하여 경복궁의 위상을 한층 더 올려주는 홍례문(興禮門)은 태조 때는 오문(午門)이라고 했지만 1426년(세종 8) 예(禮)를 널리 알린다는 뜻의 홍례문(弘禮門)으로 개칭하며 특별한 의미를 부여했다.

즉 홍례문은 '나라를 다스린다고 함은 법(法)이 아닌 예(禮)로 하라'는 것을 말해주고 있다.

법(法)은 '살인하지 마라' 또는 '남의 재물을 훔치지 마라'처럼 범죄행위 등을 막기 위해 '하지 마라' 또는 '해서는 안 된다' 위주로 구체적이고 부정적인 명령어로 명시하고 있다.

그에 비해 예(禮)는 '이리 해야 한다, 저리 해야 한다'며 포괄적이고 긍정적인 표현으로 되어있다. 따라서 나라를 다스릴 때는 법치(法治)가 아닌 예치(禮治)가 더 중요한 것이다.

| 흥례문

　법(法)은 시대와 인식의 변화에 따라 가변적으로 변화를 거듭해 왔는데 법전인 '경국대전' 이후 '속대전', '대전통편', '대전회통' 등이 말해주고 있다.

　반면 전통적이고 보수적인 예(禮)는 '국조오례의' 이후 '국조속오례의' 와 일부만 보충한 '국조속오례의보' 등으로 변경이 많지 않았다.

　대원군이 경복궁을 중건할 때는 왕조를 반석 위에 세운 세종 시기를 떠올렸을 것이다. 그렇다면 세종 때 이름인 홍례문으로 해야 되는데 왜 흥례문으로 바꾼 것일까?

　대다수 해설가들은 청나라 황제 건륭제의 본명인 홍력(弘曆)을 피하는 피휘(避諱)하기 위해 홍(弘)을 흥(興)으로 바꾸었다는 경복궁 영건일기를 근거로 말하는데 다소 설득력이 떨어진다.

왜냐하면 중국은 황제를 상징하는 용의 발톱이 다섯 개인 오조룡이니, 제후국인 조선은 사조룡이 되어야 한다. 이에 비해 경복궁 근정전은 칠조룡으로 되어있으니, 설명이 안 되기 때문이다.

경복궁 중건 시 조선을 조선답게 만든 세종 시기를 꿈꾼 대원군은 그때로 돌아갈 수 없음도 잘 알고 있었다. 따라서 조선왕조 내내 이미 널리(弘) 알려져 있지만, 제대로 구현되지 않는 예(禮)를 다시 불러일으키려(興) 홍례문으로 한 것은 아닐까.

1915년 시정 5년 조선물산공진회를 위해 일제가 철거한 홍례문. 2001년 총독부 청사 철거와 함께 우리에게 돌아왔지만, 우리는 또다시 오욕(汚辱)으로 대하고 있는지도 모른다.

03

사치스러움을 멀리한 근정전

검이불루 화이불치의 근정전

경복궁의 정전인 근정전을 마주하면 따로 설명하지 않아도 모두 '이 건축물이 경복궁의 중심 건물이구나!'를 눈치채고 사진촬영장소로 점 찍는다.

그런데 근정전의 진정한 멋은 정면에서 보는 시각이 아니다.

조정(朝廷) 동남 측 행랑 모퉁이에서 보면 근정전의 진면목을 발견할 수 있다.

그곳에서 바라보면 근정전 좌측의 인왕산 산세가 부드럽게 보이고 우측의 백악산 산세는 힘차게 솟아오른 후 우측으로 뻗어나가는 형세로 근정전이 두 산 사이에 절묘하게 위치해 있음을 알 수 있다.

근정전은 외부에서 보면 2층의 형태지만 실제로 내부는 2층이 아닌 통층이다. 그렇다면 외부를 왜 1층도, 3층도 아닌 2층으로 했을까?

"1층이라면 근정전 뒤 백악산의 정상인 백악마루에 눌리는
형세가 될 것이고, 3층이라면 백악마루를 누르는 형세가 되니
2층으로 해서 백악마루와 어우러지게 한 것은 아닐까"

라고 한 유홍준 교수의 말이 그럴싸하게 보인다.

덕분에 근정전 조정 동남쪽 모퉁이는 근정전을 사진에 담는 최고의
포인트가 되었다.

근정전 앞의 넓은 마당인 조정(朝廷)은 공식적인 행사를 하는 곳이
다. 외국 사신을 맞이하거나, 과거의 최종시험인 전시(殿試)를 치른다
든가 군신 간의 연회를 벌이는 등 공식적인 행사의 원활한 진행을 위
해 바닥재로 넓은 면의 박석(博石)이 조성되어 있다.

박석은 궁궐 조정과 종묘 정전과 영령전 그리고 왕릉에만 조성될 정
도로 보기 드문 바닥재이며, 예외적으로 창경궁 통명전에도 조성되어
있다.

조선왕조는 박석이라는 바닥재 자체가 사치스러운 것으로 인식했
다. 따라서 조선왕조의 국시(國是)인 사치를 하지 않기 위해 그나마 박
석의 표면을 다듬지 않았다. 그 결과로 조심히 다니는 현상이 나타난
것이다.

근정전 조정 바닥은 남측보다 북측이 조금 더 높은데, 이에 따라 근
정전의 위상은 높아 보이고, 조정에 떨어진 빗물이 남쪽의 좌, 우측 배
수구로 자연스럽게 출수가 되는 효과가 있다.

물론 다른 궁궐의 조정도 같은 구조로 되어있는데 기울어지게 느껴
지지를 않는다. 이럴 때 조정 동, 서측 행랑의 지붕 높이를 보면 남쪽에
서 북쪽으로 가면서 3단계로 높아지는 것을 발견할 수 있다.

| 조정 동남 측 행랑 모퉁이에서 본 근정전

이처럼 근정전의 위상은 있는 듯 없는 듯 티 나지 않고 자연스럽게 조성되어 있음이 특징이다.

백제 온조가 지은 궁궐을 두고 삼국사기의 저자 김부식이 말한 "검소하되 누추하지 않고 화려하되 사치스럽지 않다"라는 '검이불루 화이불치(儉而不陋 華而不侈)'는 조선의 궁궐에서도 나타난 것이다.

사치스러움을 억제하던 조선의 국시 유교 철학을 가장 잘 표현한 건축물이 조선에서 가장 큰 건축물인 근정전인 것이 도리어 역설적이다.

영원토록 지켜라

근정전 상월대로 오르다 보면 난간에 상서로운 동물인 서수(瑞獸)가 여럿 조각되어 있다. 서수들은 크게 세 가지 원칙으로 조성되었다.

첫째는 좌청룡·우백호·남주작·북현무의 사방신이다.
둘째는 방향을 나타내는 12지신 중 일부이고,
셋째는 하늘의 별자리인 28수를 상징하는 낙타, 교룡 등이다.

즉 사방신은 '모든 방향'을 의미하고, 12지신은 '모든 시간'을 의미하며, 28수는 '하늘'을 의미한다. 이를 서술적으로 표현하자면 '어디서든지', '언제든지', '천지간'에 근정전을 철저하게 지키고 보호함을 의미한다.

한때는 12지신 중 개와 돼지가 빠진 것이 서쪽의 중국을 의식해서 제외된 것이라고 했는데, 틀린 말이다. 경복궁 중건 당시 조선인들의 자주적이고 자존적인 조선중화주의를 모르고 말한 엉뚱한 설명이다.

경복궁을 중건한 해는 1867년이다. 2차 아편전쟁(1860~1865)으로 서양에 의해 북경이 함락되는 등 중화질서가 붕괴되고 있음을 이미 다 알고 있던 대원군이었다.
그래서일까. 근정전 천장에 조성된 용의 발가락이 7개인 칠조룡인 이유도 전통적인 중화질서의 붕괴라는 선상에서 조선왕조의 자주성으로 봐야 될 것이다.

04

재상정치를 꿈꾼 근정전

세습군주의 게으름을 경계한 근정전

조선왕조 건국과 함께 조성된 경복궁은 새로운 왕조의 정치철학을 건물 현판에 담았다. 그중에서도 경복궁의 랜드마크인 근정전이 대표적이다.

왕조국가는 세습되는 왕실 가문이 다스리는 국가를 말하는데, 세습되어 변하지 않는 왕조는 군주의 자질에 따라 성군(聖君), 현군(賢君), 혼군(昏君) 그리고 폭군(暴君)으로 나타난다.

성군과 현군이라면 다행스러운 일이지만, 만일 혼군 특히 폭군이 나온다면 백성들의 삶이 고단해진다. 조선왕조는 이를 미연에 방지하고자 했다.

때문에 세습으로 게을러지기 쉬운 군주에게 '부지런함'을 잊으면 안 된다고 경복궁의 정전 이름을 근정전(勤政殿)이라고 지은 것이다.

| 근정전

이후 다른 궁궐의 정전에도 이런 정신을 더욱 구체화하였다.

어진 정치를 펼치라는 창덕궁의 인정전(仁政), 밝은 정치를 펼치라는 창경궁의 명정전(明政), 백성을 위한 정치를 더욱 더하라는 경희궁의 숭정전(崇政)으로 계승·발전하게 된다.

세습 않는 재상정치를 펼친 근정전

세습군주와 세습귀족 중심의 고려왕조와는 전혀 다른 조선왕조를 실질적으로 건국한 정도전. 그는 군주의 게으름을 경계하면서 동시에 재상정치를 꿈꿨다.

조선왕조는 군림하되 통치하지 않는 세습군주를 구심점으로 삼고, 실질적인 국정은 세습이 불가한 재상 중심의 정치체제를 지향한 것이다.

국정을 이끌어갈 훌륭한 재상이 되려면 우선 과거시험에 합격해야 했다. 과거는 1차 시험 초시(初試)에서 지역선발로 뽑아 중앙만이 아닌 여러 지역을 안배하였다. 2차 시험 복시(覆試)에서는 1차 초시 합격자 중에서 지역 편중화를 방지하기 위해 지역에 무관하게 실력 위주로 선발하였다.

초시와 복시에 합격한 인재들을 대상으로 마지막 시험인 전시(殿試)를 치렀다. 전시(殿試)란 궁궐에서 보는 시험으로 '세상의 모든 인재는 국왕이 선발한다'는 일종의 퍼포먼스였다. 따라서 최종 합격은 이미 복시에서 결정 났고, 전시에서는 불합격자 없이 성적에 따라 품계만 주어질 뿐이었다.

정기적인 과거시험은 3년에 한 번 보는 식년시가 있는데, 이때 겨우 33명만 선발하니 합격하기가 하늘의 별 따기였다.

이토록 어려운 과거에 합격한 역량에 다양한 실무 경력이 더해져 정치 내공이 커진 재상들에 의한 정치를 추구한 조선왕조의 500년 장수는 어쩌면 당연한 것이었다.

조선의 제일 법궁 경복궁의 법전인 근정전의 현판은 조선왕조가 세계적으로 보기 드문 장수 왕조가 된 것이 결코 우연이 아님을 말해주고 있다.

05

민본정치의 공간 사정전

세계 최장수 왕조 조선

"500여 년을 유지한 조선왕조는 끝내 망국했다."

위 문장에서 핵심 단어를 고르라면 '망국'보다는 '500여 년 유지'다.

전주 이씨 하나의 가문으로 500여 년의 왕조를 유지한 것은 세계 최장수의 사례로 볼 수 있다.

이는 470여 년 개성 왕씨의 고려왕조보다도 길고, 천년의 신라도 실제로는 박씨, 석씨 그리고 두 종류의 김씨로 이어져 왔기 때문이다.

중국의 수많은 왕조에서도 500여 년을 유지한 사례를 찾아볼 수 없다. 유럽에서 가장 오래된 로마제국도 엉뚱한 인물이 황제로 추대를 받거나 심지어 '로마'라는 국명만 그대로일 뿐 실질적으로는 새로운 왕조를 개창하는 등 동양처럼 군이 혈통주의를 고집하지 않았다.

따라서 '망국'보다는 '조선왕조의 장수비결'이 무엇인지 알아보는 것이 우선 되어야 한다.

| 사정전

그것을 알아볼 수 있는 적절한 곳이 있는데, 그곳이 바로 경복궁의 편전인 사정전이다.

국정의 목적 민본(民本)

사정전(思政殿)은 국왕과 신하가 함께 국정을 펼치던 편전(便殿)이다. 이 또한 개국초 재상정치를 꿈꾸던 삼봉 정도전이 작명한 것으로 국정을 펼칠 때는 '백성을 위해 생각하고 생각하라'는 의미인 것이다.

다른 왕조와는 달리 조선 조정이 백성들을 위한 민본정책을 논하던 곳이다.

근대 시기 시민들이 나라의 주인이라는 의미로 탄생한 민주정이나 공화정의 민주(民主)는 아니어도, 조선왕조는 일찍이 민본(民本)정책을 했기에 훗날 세계적으로 보기 드문 의병(義兵)이라는 존재가 나타날 수 있었다. 왕의 나라인 왕조국가에서 백성들이 마치 제 나라 인양, 나라를 구하려고 봉기한 것이다. 구한말 일제에 대항한 의병이 이를 증명하고 있다.

당시 세계 최고의 근대국이자 최강국이라고 자부하던 영국.
그런 영국의 데일리메일 신문사의 맥킨지 기자는 동양의 작은 나라에서 나라를 구하겠다는 의병들의 존재와 구국 활동을 믿을 수 없었다. 그래서 그는 의병들을 직접 찾아가 만나고 사진을 찍어 전 세계에 알리게 되었다.

조선의 백성들은 조선을 자기들의 나라라고 인식했다.
국난을 맞이하면 스스로 의병이 되어 적과 싸운 세계 유일의 나라였다. 왜냐하면 조선정부는 백성을 근본으로 하는 민본정책을 펼쳤기 때문이었다.

영국의 맥킨지 기자 같은 이가 믿지 못하는 것은 당연했고, 덕분에 맥킨지 기자는 일제강점기 한국의 실상을 알리는 친한파로 활동하게 되었다.

민본정책의 세가지 구현방식

재상정치의 최종 목적인 민본정책은 다음의 세 가지 제도로 실현되었다.

첫째는 언관(言官)제도다.

일반적으로 언관은 관리들을 대상으로 감찰하는 사헌부의 대관(臺官)과 국가정책에 대한 간쟁과 논박을 하는 사간원의 간관(諫官)을 합한 대간(臺諫), 그리고 성종 때 국왕의 각종 자문에 응하던 홍문관 등을 말한다.

이런 언론 삼사(三司)의 직책은 당상관으로 오르기 위한 필수 관직으로 청요직(淸要職)이라 했다.

삼사에 근무하며 국정에 관해 툭하면 '전하 아니 되옵니다'를 외치니 국왕에게 미운털 박히기 십상이었다. 그런데 '청요직'이라는 것이 무엇인가. 청요직인 삼사를 거쳐야 고위급의 당상관이 된다는 것이 아닌가. 즉, 당상관들 중에는 삼사 출신이 많다는 반증이다. 그러니 국왕이 듣기 싫다고 마음대로 미운털 박기도 어려웠다.

그만큼 조선왕조는 제도적으로 민본을 위한 언로(言路)를 열어 둔 왕조였다.

둘째는 사관(史館)제도다.

사관제도는 국왕의 공식적인 언행을 기록하는 제도였다.

이를 기록하는 자들을 사관이라고 했는데, 두 명으로 구성되어 있다. 군신 간의 언행을 기록한 좌사(左史), 당시 현장의 분위기를 기록한 우사(右史)였다.

| 사정전

　좌사와 우사 각각의 기록을 종합해 보면 군신 간의 대화뿐 아니라 당시 국정 현장의 분위기까지 생생하게 알 수 있었다.

　이렇게 기록한 사초는 사관들의 근무처인 예문관에 보관하는 시정기(時政記, 근무일지)와 분실을 막기 위해 각자 자신의 집에 또 다른 한 부를 보관한 가장사초(家藏史草)가 있으며, 가장사초는 사료로 역사적 가치가 훨씬 컸다. 가장사초에는 조정의 정책이나 인물에 대한 세평(世評) 등을 종합하여 사관 자신의 의견을 적을 수 있었기 때문이었다.

　한편 실록편찬은 국왕이 승하한 후에 만들어 후대 왕이 열람할 수 없도록 함으로써 국정을 펼칠 때 역사에 어떻게 남을까를 두려워하게끔 제도화한 것이 사관제도였던 것이다.

셋째는 경연(經筵)제도다.

경연제도는 경연에 참석한 신하들이 유교 경전과 역사서를 중심으로 국왕을 성군(聖君)으로 만들기 위한 교육 기능으로 시작했다.

하지만 이후 경연은 군신 간의 국정 현안을 토론하는 정치적 기능으로 확대되며 국왕의 독주를 막는 역할을 했다.

이렇듯 언관·사관·경연제도 등으로 재상정치를 실현한 조선왕조는 세계 최장수 왕조가 된 것이다.

사정전은 일제에 의한 국망(國亡)에만 치우친 인식을 떨쳐버리고, 조선왕조의 장수 비결이 무엇인지를 우리에게 말해주고 있다.

06

영광과 욕됨이 서린 수정전

조선왕조를 반석 위에 올린 집현전

유럽은 아시아, 아프리카, 미주 지역의 식민지 착취를 바탕으로 번영을 구가했다. 이런 제국주의 번영에서 자연스럽게 시민계급이 성장하며 왕정을 타파한 공화정이 들어서게 되었다.

공화정(共和政)이란 '국가는 공공의 것'이라는 개념 아래 한 명의 군주 대신 시민 모두에 의해 국정을 펼치는 정치체제로 민주정(民主政)과 비슷한 의미다.

우리가 선진국으로 알고 있는 유럽조차 근대 시기에 들어서서야 겨우 민주의식을 바탕으로 한 공화정이 뒤늦게 출현했다.

그에 비해 조선은 일찍부터 민주(民主)는 아닐지라도 백성들을 위한 민본(民本)을 국정의 기본 정책으로 한 왕조였다.

백성을 위한 민본정책의 사례로는 어떤 것이 있을까?

가장 대표적으로 백성을 위한 문자인 '훈민정음'의 탄생이었다.

백성을 위해 문자까지 만들 이유가 없었던 왕조 국가의 국왕인 세종이 직접 작성한 서문에 훈민정음을 만든 이유가 아래와 같이 적혀있다.

> "나라의 말이 중국과 달라 문자가 서로 통하지 아니하기에
> 이런 까닭으로 어리석은 백성이 말을 하고자 하여도
> 마침내 제 뜻을 제대로 전하지 못하는 사람이 많다
> 이에 내가 이를 가엾이 여겨 새로 스물여덟 자를 만드니
> 사람들마다 쉽게 익혀 편히 쓰게 하고자 할 따름이다."

왕조 국가의 군주가 어리석은 백성을 위해 만들었다고 되어 있다. 이것이야말로 민본사상의 극치다.

'백성을 가르치는 올바른 소리'라는 훈민정음(訓民正音)은 1443년(세종 25)에 세종이 직접 만들었다. 하지만 세종은 곧바로 공표하지 않고 3년간 집현전 학사들과 새로운 문자에 대한 충분한 토론을 했다.

심지어 세종은 훈민정음을 만들기 전에도 글을 알지 못해 실수할 수 있는 백성들에게 효자, 충신, 열녀들의 예(禮)를 알 수 있도록 집현전 학사들을 통해 그림으로 제작한 '삼강행실도(三綱行實圖)'를 보급했다. 요즘으로 말하자면 쉽게 알 수 있도록 웹툰으로 제작한 것이다.

그 외에도 백성들의 건강을 위해 중국 약초 대비 비슷한 약효가 있는 국산 약초인 향약을 모아서 알린 '향약집성방'을 만들어 배포했다. 더 나아가 약효를 유지하기 위해 채취 시기와 보관법 등을 기록한 '향약채취월령'까지 제작했다.

| 세종 시기 집현전 영역이 있던 수정전

    이렇게 함으로써 병든 백성들이 값싸게 약을 구할 수 있게 한 것이다. '조선판 국민건강보험제도'를 운영한 것이다.

    농업국가인 조선에서 우수영농자의 사례를 모은 '농사직설'도 편찬하여 백성들의 소득 창출에도 큰 기여를 하는 등 민본정책의 업적은 이루 헤아릴 수 없이 많다.

    '민주(民主)'보다 실질적으로 백성들에게 더 도움이 컸던 '민본(民本)' 정책이었다.

    세종 시기, 수정전 주변은 그러한 민본정책을 통해 조선왕조를 든든한 반석 위에 올린 집현전이 있었던 자리였다.

조선왕조를 해체시켜버린 군국기무처

1894년 청국군과 일본군이 조선에 파병될 거라는 소식에 동학농민 군과 조선정부군은 외세 침략의 빌미를 주지 않기 위해 급히 전주화약 을 맺었다. 이에 따라 정부 내에 교정청을 설치하고 조선의 자주적인 개혁을 실시했다.

하지만 6월 21일 무단으로 침략한 일본군이 경복궁을 군사적으로 점령한 후 청국군과의 전쟁 중 국왕인 고종의 뜻을 차단하고 조선정부 로부터 강제적인 지원을 받기 위해 조성한 것이 꼭두각시 친일 내각인 '갑오내각'이다.

한편 갑오내각과는 별도로 더욱 친일적인 국정기관도 조성했는데 이 른바 '군국기무처'다. 군국기무처는 조선정부처럼 국왕과 신하 간의 협 의체가 아닌 행정권과 입법권을 모두 독점한 초정부적인 기관이었다.

군국기무처는 7월 28일부터 불과 3개월 동안 개혁의 명분으로 200 여 건의 법안을 날치기로 처리하며 노골적인 친일 활동을 전개하였고, 고종은 왕권을 회복하자마자 제일 먼저 이러한 군국기무처를 폐지하 였다.

혹자는 군국기무처를 '국내 최초의 의회'라고 말하고 있는데 이는 어불성설이다. 그들이 한 행위는 친일행위였지 나라와 백성을 위한 것 이 아니었다. 군국기무처는 국왕으로부터 빼앗은 권한으로 일본을 위 한 일을 처리한 것이다.

그들이 했다는 개혁을 보면, 이미 조선왕조에서 이루어진 자주적인 개혁을 마치 친일 갑오내각에서 한 것처럼 왜곡했다.

예를 들어 '공(公)·사(私)노비의 전적을 폐지하고...'를 내세웠지만, 이미 순조 때 공노비를 폐지했고 1886년 고종 때 사노비 세습마저 폐지했다. 남아있는 노비제 관련 잔존문제를 군국기무처에서 언급한 것뿐인데 마치 이때 노비제가 폐지된 것으로 착각하게 왜곡했다.

또한 부정부패의 과거제도를 폐지했다고 하는데, 제도 폐지에 따라 자기들 멋대로 친일적 인물들을 대거 등용했다.

이처럼 수정전 건물을 사용한 군국기무처는 민본정책으로 반 천년 반석 위에 올린 조선왕조에 대해 자발적 근대화를 무시하고 마치 자기들이 한 것인 양 왜곡을 통해 조선왕조를 해체한 곳이었다.

결국 수정전 터는 조선왕조의 영광(집현전)과 욕됨(군국기무처)이 동시에 서린 상반적인 곳이다.

07

경회루의 세가지 기능

경회루(慶會樓)는 주로 군신 간의 공식적인 연회를 했던 장소이지만 외국의 사신 접대는 물론 기우제를 했던 장소이기도 하다.

특별한 기우제 장소

경회루는 창건 당시 못을 파고 세운 누각이 기울자 태종 때 대규모로 확장하였다. 성종 때 중건하며 사치스러움을 금하는 조선답지 않게 돌기둥에 용을 새기는 등 호화롭게 지었다. 연산군 시기 궁궐 기생 '흥청(興淸)'에서 '흥청망청'이라는 말이 유래되었는데 당시 사람들의 인식이 입에서 입으로 이어져 오는 것을 생각하면 역사 인식의 중요성을 일깨워준다.

한편 농업국가인 조선은 하늘에서 비가 내리기를 바라는 기우제(祈雨祭)가 다반사였다. 특히 기근이 심했던 숙종 시기 12단계 기우제 중

| 경회루

 열 번째로 경회지(慶會池)에서 돌을 던지는 석척(石擲) 의식이 있었는데, 아홉 번째 모화관 석척과 열한 번째 춘당지 석척의 연장선상이었다.

 척(擲)은 구름을 끼고 날아다니며 비를 일으키는 용을 닮은 도롱뇽의 잠을 깨우기 위함이었는데, 당시는 임란으로 빈터가 되어 폐궐이된 경복궁의 경회지에서 행하던 기우제였다.

 그래서일까. 대원군은 경복궁을 중건하면서 기우제를 인식해서 청동용 두 마리를 넣었는데, 그중에 한 마리가 발굴되어 고궁박물관에전시 중이다.

화이불치의 사신접대 장소

경회루의 주목적은 군신 간 공식 연회나 외국 사신을 맞이하는 접대 공간이었다.

사신맞이는 법전인 '경국대전'보다 상대적으로 불변적인 '국조오례의(國朝五禮儀)'에 규정된 조선의 다섯 가지 국가 의례 중 하나인 빈례(賓禮)다. 따라서 빈례 장소인 경회루는 어느 정도 격 있게 해야 했다.

유교 철학의 검소함과 사신맞이를 위한 화려함의 엇갈린 현실을 절묘하게 해결한 것이 낙양각(落陽刻)과 당초문(唐草紋)이다.

궁궐이나 사찰에서 건축물을 화려하게 장식하는 낙양각에 식물의 덩굴이나 줄기를 일정한 모양으로 도안한 장식무늬인 당초문을 그린 것이다.

낙양각과 당초문양으로 장식한 기둥과 창방을 통해 밖을 바라보면 마치 바깥 풍경이 아름다운 액자 틀 안에 있는 그림처럼 보이는 효과가 나타났다.

근정전과 같은 검이불루 화이불치(儉而不陋 華而不侈) 정신이 경회루에서도 적용된 것이다.

경회루가 임란으로 소실되고 280년이 지나 대원군에 의해 중건 될 때, 규모는 더 커졌지만 유교 철학에 따른 사치스러움을 줄이고자 돌기둥에 문양이 없는 지금의 모습으로 다시 조성된 것이다.

| 경회루 2층 마루바닥 구조

민본을 인식한 연회 장소

앞서 언급한 기우제와 사신맞이는 특별한 경우이고, 경회루 건립 목적에서 가장 주요한 부분은 사실 국왕과 신하 간의 연회였다.

오죽하면 강원도 관찰사로 있다가 조정으로 복귀한 송강 정철이 관동별곡에서 경복궁에 다시 입궐한다는 기쁜 마음을 '영추문 드리달아 경회남문 바라보니...'라고 표현했을 정도였다.

그런데 주목적의 군신 간 연회를 흥청망청한다면 사치스러움을 떨치지 못할 것이다. 그렇다면 이 문제는 어떻게 해결했을까?

그 답은 경회루 2층 마루바닥의 구조에 있다.

2층 마루바닥의 구조는 평평한 것이 아니라 중앙이 높고 주변이 낮은 3단의 구조로 되어 있는데, 경복궁을 중건한 1865년 작성한 '경회루전도'에는 마루바닥 구조의 의미가 다음과 같이 나와 있다.

> "한가운데 제일 높은 3칸은 세상의 기본 요소인
> 천(天) · 지(地) · 인(人)을 상징한 삼재(三才)이고, 이 3칸을
> 둘러싼 8개 기둥은 천지 만물이 생성되는 기본 원리인
> 주역의 팔괘를 상징한다.
> 중간 높이의 12칸은 12달을 의미하고, 이를 둘러싼 16개
> 기둥에 달린 4개의 문짝을 합하면 64괘를 의미한다.
> 끝으로 가장 낮은 바깥쪽 24개 기둥은 24절기를 상징한다."

이런 원리는 유학이고, 유학은 조선왕조의 국가이념인 국시(國是)다. 조선왕조는 유학의 관점으로 직업을 구분하여 사농공상(士農工商) 순으로 인식했다. 그중 경제적 측면에서 유학의 본질은 '평등'이다. 납득하기 어렵겠지만 유학은 지금의 사회주의를 넘어 공산주의에 가깝다고 볼 수 있다. 따라서 빈부격차를 야기하는 '상(商)'을 말업(末業)으로 취급했던 것이다.

그래서 경회루 2층 바닥은 천지 만물이 생성되는 주역의 원리인 8괘와 64괘. 그리고 경제적 측면에서 유학의 근본 목적인 과다한 빈부격차를 야기하지 않는 농업과 관련된 12개월과 24절기를 의미하는 바닥 구조로 조성된 것이다.

앞서 언급한 '석척의식'이 땅(地)과 관련된 농업이 잘 되길 바라며 하늘(天)에 빌던 기우제였듯이, 군신 간의 연회로 술 한 잔을 하더라도 하늘과 땅 사이의 백성을 잊지 말라고 바닥의 구조를 그렇게 만든 것은 아닐까.

08

차기왕권과 붕당정치의 예비공간 동궁

차기왕권의 공간

동궁(東宮)은 궁궐 내 동쪽에 있는 전각으로 세자의 거처이다. 매일 새로운 해가 뜨는 동쪽은 현재가 아닌 미래를 의미하기 때문이다. 즉 국왕이 현재의 권력이라면 동궁은 차세대 권력인 것이다.

궁궐의 서쪽 영역에 죽은 자를 의미하는 뜻에서 시신을 모시는 빈전(殯殿)이나 혼을 모시는 혼전(魂殿)이 조성된 것과 대비된다.

경복궁 같은 경우, 세종 때에 이르러 궁궐 내에 세자와 세자빈의 침전인 자선당(資善堂)과 세자의 공부방 겸 사무실인 비현각(丕顯閣)을 조성했다.

그리고 관련기관으로 개국 초부터 있다가 태종 때 명칭을 바꾼 세자의 교육을 담당하며 문(文)에 해당하는 세자시강원(춘방,春坊)과 세자의 경호를 맡으며 무(武)에 해당하는 세자익위사(계방,桂坊)를 두었다.

| 세자와 세자빈의 침전 자선당

붕당정치의 예비공간

일반적으로 세자는 국왕과 왕비 사이에 태어난 적장자인 원자(元子)를 거쳐야 한다. 그런데 광해군과 영창대군의 예처럼 이미 세자인 광해군이 있으면 적장자인 영창대군을 원자라고 부르지 않는다. 차세대 왕권에 대한 이해관계가 갈리는 순간이다.

이처럼 서로 다른 이해관계를 공유하는 이들이 사사롭게 조직을 결성한 것이 붕당(朋黨)이다. 그리고 이들의 정치적인 대립을 당쟁이라고 한다.

한때 당쟁을 당파싸움이라 하며 내부망국론의 대표적 사례로 부각시킨 식민사관도 있었다. 세계 수많은 나라들의 정치인들이 정당정치를 하고 있음에도 말이다. 그만큼 붕당 결성과 당쟁은 자연스러운 것이다. 현재의 권력을 차지한 집권세력(여당)은 차세대에서도 그 권력을 유지하고 싶을 것이고, 현재의 비집권세력(야당)은 차세대에서는 반드시 집권하기를 바랄 것이다.

따라서 차세대 왕권을 상징하는 동궁에서는 붕당의 권력 유지와 쟁취에 따른 치열한 예비 정치활동이 벌어졌다. 특히 문반에 해당하는 세자시강원 관원들은 차세대 조정 내에서 요직이 보장된 자리였다. 마치 지금의 대선이나 총선을 앞에 두고 특정 선거에서의 승리와 비슷한 성격인 셈이다.

예를 들어 우암 송시열은 봉림대군의 스승이었는데, 훗날 봉림대군이 효종으로 등극하자 조정과 산림의 영수로 위상이 높아졌다. 반면에 추사 김정희는 효명세자의 시강원 관리였지만 세자의 죽음으로 출세는 커녕 유배형에 처해졌다. 이렇듯 동궁은 치열한 붕당정치의 예비 공간이었다.

계조당 조성과 훼철의 의미

조선은 건국 후 1, 2차 왕자의 난으로 정종, 태종 그리고 세종 자신의 등극까지도 적장자의 승계원칙이 지켜진 적이 없었고, 적장자 승계 원칙이 지켜지지 않으면 국론이 분열될 수밖에 없음을 잘 알고 있던 세종이었다.

1418년 세종 즉위 후, 1421년 8세의 큰아들을 왕세자로 책봉하고, 6년 뒤 1427년(세종 9) 경복궁에 세자의 공간으로 동궁을 조성했다.

| 계조당

세종은 여기서 멈추지 않고 더 나아가 1437년(세종 19) 조선 최초로 세자에게 대리청정을 명하였다. 대소신료들은 어명이 두 곳에서 나오면 조정이 어지러워진다는 논리로 이를 받아들이지 않았지만, 기나긴 공방 끝에 1443년(세종 25) 국왕처럼 남쪽을 바라보고 정사를 하는 남면(南面)이 아닌 서면(西面)의 조건으로 26세 세자의 대리청정이 실질적으로 시행되었다.

이리하여 동궁 내 대리청정 공간으로 조성된 것이 바로 '부왕의 뜻을 계승한다'는 뜻의 계조당(繼照堂)이다.

계조당의 정치적 의미는 결국 적장자 승계원칙을 통한 왕조의 안정을 표방한 것이다. 세자는 계조당에서 백관들로부터 조참을 받고, 서연을 행하고, 일본 사신을 만나는 등 실질적으로 부왕 세종을 대신해서 국정을 펼쳤다. 계조당이 조성된 1443년부터 세종이 승하한 1450년까지의 7년간은 문종의 치세라고 볼 수 있다.

세종이 조성한 계조당은 문종이 승하하며 폐지되었고, 사라진 지 400여 년 후인 1866년(고종 3) 대원군은 경복궁 중건 과정에서 고종도 세종과 같은 군주가 되기를 바라며 훗날 태어날 세자의 공간으로 계조당을 조성했다. 이를 통해 왕조의 안정을 추구한 것이다.

하지만 1915년 조선총독부는 일제의 홍보장인 공진회를 위해 계조당을 철거하였다.

09
국왕의 건강관리 강녕전

오복 중 최고는 강녕

강녕전(康寧殿)의 정문은 삶의 최고 목적인 '오복(五福)을 향한다'는 향오문(嚮五門)이다.

오복은 장수를 의미하는 수(壽), 부자를 뜻하는 부(富), 건강을 말하는 강녕(康寧), 덕을 가까이한다는 유호덕(攸好德) 그리고 편안한 죽음을 뜻하는 고종명(考終命)이다.

건강치 못하면 수(壽), 부(富), 유호덕(攸好德) 그리고 고종명(考終命)까지 무의미해진다. 이렇듯 오복 가운데 최고는 강녕(康寧)으로 귀결되니 건강이 최고의 복인 셈이다.

그렇다면 조선시대 국왕의 건강을 위한 특별한 비결은 무엇이었을까? 사실 딱히 특별한 것은 없다. 국왕이라 해도 '잘 먹고, 잘 자고, 잘 비우고'가 건강의 핵심적인 요체라는 점에서 특이할 것이 없기 때문이다.

| 강녕전

건강관리의 세 가지 방법

첫째로 국왕이 드시는 식사인 '수라'이다.

국왕이 수라상을 들기 전에 기미상궁이 먼저 먹어보며 혹시나 음식에 독이 있는지를 검사한다.

한편 국왕은 하루에 식사를 다섯 번 하는데, 사실 제대로 된 정식 수라상은 아침과 저녁 두 번이고, 나머지 세 번은 아침 전, 낮것상, 야참으로 국수나 미음, 약식 등 간식 수준의 수라상이다.

아침과 저녁 수라상은 그 양이 엄청난데 이렇게 많이 드시는 이유는 특산물을 올린 해당 지역의 민심을 알아보기 위함도 있었으니, 조선의 국왕에게 있어 식사는 국정 업무의 연장선이기도 했다.

또 다른 이유는 아랫사람에게 물려주는 '물림상' 때문이다.

물림상을 통한 상호 배려의 문화는 왕실에만 국한된 것이 아니라 관아의 수령과 상류층 양반가에서도 따라 하며 일종의 관례가 되기도 했다. 국왕이 드시는 수라인 12첩 반상에서 '첩'은 밥, 국, 김치, 종지(간장, 고추장 등)를 제외한 쟁첩(접시)에 담는 반찬의 수를 말한다.

둘째로 흔히 보약이라고 일컫는 '편안한 잠'이다.

그와 관련된 용어로 건물 추녀마루 위에 조성된 순우리말로 '어처구니'라고 부르는 잡상(雜像)이 있다. 잡상은 액(厄, 재앙)을 물리치는 벽사(辟邪)의 용도이다.

잡상은 중국 당나라 현장(660~664) 스님의 '대당서역기'를 소재로 한, 손오공으로 유명한 명나라 소설 '서유기(西游記)'의 등장인물로 조성되어 있다.

정조는 세손 시기에 경희궁 존현각에서 자신을 해하려는 자객이 숨어든 사건을 겪었다. 이때 자신의 일기에 '밤마다 두려워서 잠을 이루지 못했다'고 기록했으며, 결국 몸에 좋은 보약을 먹지 못한 셈이었다.

경복궁 같은 경우 편안한 잠을 위해서 강녕전 동·서 양측에 우물 정(井)자 구조의 방을 각각 조성했다. 일반적으로 국왕은 가운데 방에서 주무시고 국왕의 머리가 위치한 곳을 제외한 주변 7개 방에는 지밀상궁들이 한 명씩 배치되는 방식으로 운영했다.

한편 왕이 주무시는 방에는 가구가 쓰러져 옥체를 상하게 할까 봐 가구조차 비치하지 않았다고 한다.

하지만 그런 이유보다는 국왕이 주무시는 방 주변에는 밤새 지밀상궁들이 있었으니 굳이 가구가 필요 없었다고 봐야 할 것이다.

더군다나 지밀상궁들이 배치된 공간을 제외한 국왕의 실질적인 잠

자리 공간은 생각보다 좁아서 가구를 배치할 수도 없고, 국왕의 안전을 위해 계속해서 같은 방을 쓰지 않고 옮겨서 주무시는 보안책으로 인해 가구를 비치할 필요도 없었다.

셋째는 잘 비우는 것이다.

잘 비우려면 화장실이 필요한데 경복궁에는 28곳의 서각(西閣) 또는 혼헌(溷軒)이라 부르는 화장실이 있었다. 지금은 동궁권역에 한 개가 복원되어 있다.

그런데 왕실에는 화장실이 없었다. 이동식 변기인 '매우틀'을 사용했기 때문이다. 매우틀은 아래에 청동이나 사기로 만든 그릇을 밀어 넣고 빼는 구조로 되어 있고 용변을 볼 때 발생하는 소리와 냄새를 줄이기 위해 그릇 안에는 재를 가득 담아 사용하였다.

창덕궁 경훈각 서북쪽 모서리에는 그릇을 외부에서 빼낼 수 있는 고정식 매우틀이 남아있다.

잘 먹고, 잘 자고, 잘 비우는 국왕의 건강관리 비법은 누구에게나 적용되던 평범한 것이다. 국왕이라고 새삼스러운 방법으로 하는 것은 아니었다.

건강은 하루아침에 이루어지는 것이 아니라 평소 좋은 습관으로부터 얻을 수 있음을 말해주고 있다.

10
왕실과 공동운명체 교태전

간택의 진정한 목적

일반적으로 간택(揀擇)은 조선왕실에서 왕비(세자빈)를 뽑는 왕실의 례였다. 간택에 의해 선택된 규수가 왕(세자)과 가례(결혼)를 올리고 왕비가 되어 부부의 연을 맺게 된다.

그런데 간택에서 왕비를 선택하는 기준은 무엇일까?

왕비의 미모, 건강보다는 왕비가 속한 가문을 보고 선택하는 것이 우선이었다. 따라서 간택은 국왕(세자)이 왕비(세자빈)를 뽑는다기보다는 왕실이 어느 특정한 사대부 가문과 사돈 관계를 맺느냐로 봐야 한다.

왕비 가문으로 선정되면 척신(戚臣) 가문이 되어 왕실과의 공동운명체가 된다. 척신 중 일부는 과거시험 없이 조정에 출사해서 근왕파(勤王派)가 되기 때문이었다. 국왕의 입장에서는 재상정치를 내세우는 신료들과는 늘 긴장 상태지만, 사돈 가문인 척신과는 한배를 탄 공동운명체다 보니 자연스럽게 측근이 될 수밖에 없었다.

이때 국왕의 기준으로 왕비 가문은 처가이지만 세자에게는 외가가 된다. 따라서 척신 가문의 독점을 막는다는 명분으로 세자빈을 간택할 때는 국왕의 사돈 가문을 배제한 다른 가문과 사돈을 맺음으로써 근왕파인 척신의 범위를 확대한 것이다.

그렇다면 어떤 방식으로 사돈 가문을 선택했을까?

먼저 금혼령을 내리고 사주단자를 받아 30여 명의 후보자 중 초간택에서 5~7명을 서류심사로 선발했다. 이어 재간택에서 다시 3명을 선발 후 마지막 삼간택은 궁궐 안에서 면접으로 왕비를 선택했다. 사실 이러한 간택은 대외적으로 공정성을 나타낸 명분이었을 뿐, 실제로는 왕비 가문을 이미 내정된 경우가 대부분이었다.

따라서 정순왕후 간택 시 방석, 깊은 것, 좋은 꽃에 대한 답변으로 왕비를 선택한 것은 아니라는 것이다. 더군다나 '66세 영조가 15세 정순왕후를...' 하면서 은근히 나이 차이를 강조하는 것은 간택의 진실과는 동떨어진 이야기다.

조선 후기로 갈수록 간택 비용이 엄청나게 많이 들어서 일반적인 사대부 가문에게는 큰 부담이 된 것도 이미 사돈 가문을 내정하게 된 이유가 되었다.

한편 왕권 강화를 위한 척신의 범위를 확대한 또 다른 방법이 있었다. 삼간택 결과 1등만이 왕비가 되면 나머지 둘은 어찌 될까. 후궁이 되는 것이다. 삼간택에 오른 자는 간접적인 성은(聖恩)을 입었기에 여염집에 혼인을 허락할 수 없다는 명분으로 간택후궁이 되고 덕분에 그 가문도 척신이 되는 것이다.

| 교태전

　대비 가문과 왕비 가문 그리고 후궁 가문까지 척신의 범위를 확대하되 겹치지 않도록 일종의 상피제도로 운영하며 왕실의 안정을 확대한 것이다.

　간택후궁이 가문을 보고 선택된 것에 비해 국왕의 승은을 입고 후궁이 된 승은후궁은 가문의 배경이 없다 보니 오래 유지되기가 어려웠다.

　이러한 승은후궁 출신으로 왕비까지 오른 입지전적인 인물이 바로 희빈 장씨다. 그래서 그녀에 관한 이야기가 드라마와 영화의 소재로 많이 인용된 것이다.

불가근불가원의 척신

실질적으로 간택은 왕비보다 세자빈을 결정하는 것이기에, 왕비를 간택한 경우는 반정으로 등극한 중종이 최초였다.

중종의 첫 부인인 거창군부인(훗날 단경왕후)이 속한 신씨 가문은 폐주 연산군의 처가로 역신 가문이 되어 7일 만에 출궁 당했다.

이후 중종반정의 일등 공신 박원종의 조카가 간택 없이 장경왕후(파평 윤씨)로 책봉되었으나, 원자(훗날 인종)를 낳고 산후병으로 죽자 조선 최초의 왕비 간택으로 같은 파평 윤씨인 문정왕후가 책봉되었다.

촌수가 9촌을 넘었으니, 일가친척이 아니라는 얄팍한 이유로 애써 상피(相避)를 한 것이다.

왕조 말, 사돈 가문의 상피제가 무너지자 약해진 왕권과 상대적으로 강해진 척신정치가 확대되었다. 예를 들어 정조가 사돈으로 선택한 장동 김씨 가문이 순조, 헌종, 철종에 이르기까지 사돈 가문을 독차지하며 척신 장동 김씨의 세도정치로 나타나게 된 것이다.

또한 대원군도 본인의 처가인 여흥 민씨 가문을 고종의 처가로 택했고, 고종도 사돈 가문으로 여흥 민씨 가문을 고수해서 순종의 원비인 순명효황후를 택했다.

그만큼 왕실과 척신 가문은 불가근불가원(不可近不可遠)의 관계를 형성하게 되었다.

11
왕비로 산다는 것, 교태전

할 일 많은 왕비

경복궁 내 왕비의 공간은 교태전(交泰殿)이다. 왕비의 침전일뿐 아니라, 사적인 일상 공간이자 공적인 업무 공간이기도 하다.

왕비는 궁중에서 봉직하는 후궁, 상궁, 나인 등 여관(女官)들로 구성된 내명부(內命婦)와 국왕의 딸인 공주와 옹주, 세자의 딸인 군주와 현주, 왕의 유모 외에 왕비의 모(母)와 종친 부인인 부부인(府夫人) 그리고 문무백관의 부인들인 외명부(外命婦)를 관리했다. 국왕이라도 일반적으로는 내 · 외명부에 관한 일은 관여하지 않았다.

요즘으로 말하면 공무원의 부인들까지 왕비가 관리 했을 정도로 조선왕조는 엄격했다. 이 외에도 왕비는 친잠례(親蠶禮)와 왕실의 혼례 등을 주관하였다.

특히 남성들의 농사일에 대비되는 여성들의 양잠이 잘 되길 바라며 왕비가 모범을 보인 것이 친잠례다. 친잠례는 직물을 짜는 길쌈으로 모시, 무명, 비단을 생산하던 것인데 그중에서 대표적인 것이 비단이다. 따라서 비단을 생산하기 위해서는 먼저 누에를 길러야 했는데, 이에 관련되어 왕비가 내·외명부를 거느리고 궁궐 내 잠실에 행차하여 함께 뽕을 따고 누에 치는 친잠례 의식을 주관하였다.

대군 출산을 위한 바람

뭐니 뭐니 해도 왕비의 가장 중요한 일은 튼튼한 대군을 출산하는 것이었다. 단순하게는 여성으로서 대군을 출산하여 엄마가 되는 것이지만, 그 대군이 성장하면서 어떤 신분을 가지느냐에 따라 왕비뿐 아니라 왕비가 속한 가문의 지위와 운명이 달라졌다.

그 아이가 원자를 거쳐 세자가 된다면야 바랄 나위 없이 좋겠지만 세상사 반드시 뜻대로 되는 것은 아니다. 예를 들어 선조의 원비 의인왕후는 석녀(石女)라고 불릴 만큼 불임이었으니 왕비의 위엄이 없었다.

심지어 왕비의 침전 이름은 이와 관련되어 지어져 있는데, 우선 침전으로 들어오는 문이 양의문(兩儀門)이다. '양의'란 천지만물의 생성 변화를 만들어내는 상반되는 두 가지 기운인 음양(陰陽)의 다른 표현이다. 즉 음과 양이 잘 조화되기를 바란다는 뜻이다.

| 교태전 후원 아미산

　양의문을 통과하여 안으로 들어가면 좀 더 구체적인 표현으로 침전의 이름이 나타난다. 경복궁의 경우 교태전(交泰殿)이다.

　교태전의 의미는 '태(泰)라는 것을 바꾸고 돌리는 교(交)를 한다'는 것이다.

　여기에서 태(泰)는 위로 올라가려는 성향의 양(陽)이 밑에 있고, 아래로 내려가려는 성향의 음(陰)이 위에 있어 자연스레 음양의 자리바꿈으로 조화가 이루어지는 주역 64괘 중 하나다.

　그런데 전각 이름이 좀 어렵다. 그래서인지 다른 궁들은 비교적 쉬운 편이다. 경희궁은 상서로움을 모은다는 회상전(會祥殿)이고, 창덕궁의 경우 더 노골적 표현인데 큰 것을 만든다는 대조전(大造殿)이다.

교태전 뒤편에는 왕실 여성의 대소사를 관장하면서도 대군을 출산해야만 하는 왕비를 위한 전용 후원을 만들었는데, 이곳에도 출산 관련 비밀이 있다.

우선 후원의 이름이 중국의 10대 명산 중 하나인 아미산(峨眉山)이다. 백두산에서 지리산까지 산과 산으로 연결된 백두대간에서 한강 북쪽으로 뻗어 나온 한북정맥, 그 한북정맥의 끝자락이 경복궁 바로 뒤 백악산이다.

이에 경복궁 안에 인위적으로 아미산을 만들어 백악산의 지맥을 끌어오면 백두산의 정기를 경복궁 안으로 끌어오는 셈이 되는 것이다.

이런 아미산을 바라보며 출산하면 튼튼한 대군을 얻을 것이라는 믿음을 가지고 산실청 용도로 조성한 건물이 건순각(建順閣)이다. 그래서 건순각은 아미산을 향한 북향으로 조성되어 있는 것이다.

12
척신정치의 차단? 자경전

조대비와 흥선대원군의 정치결탁

자경전(慈慶殿)은 정조가 생모 혜경궁 홍씨의 거처로 창경궁 제일 높은 곳에 지은 전각이다. 자경이란 왕실 여성 중 웃어른인 '자친(慈親)에게 경사(慶事)가 임하기를 바란다'라는 뜻이다.

흥선대원군이 경복궁 중건 시 조성한 건물로 고종이 효명세자의 양자로 즉위하였으니, 신정왕후(1808~1890)는 왕실 내 어머니인 법모(法母)가 되는 격이다.

신정왕후의 아들 헌종이 등극 후 요절한 남편 효명세자를 익종으로 추존하자, 세자빈 신분의 조씨는 왕비를 건너뛰고 곧바로 왕대비가 되어 흔히 조대비로 많이 알려져 있다.

1864년 조대비는 흥선대원군의 둘째 아들인 11세의 명복(고종)을 익종의 양자로 삼아 왕으로 즉위시켰다. 당시 장동 김씨 가문의 적극적인 반대가 없었던 것을 보면 왕위 계승 서열상 큰 문제가 없어 보인다.

| 자경전 십장생 굴뚝

조대비는 법모로서 수렴청정을 하게 되었고, 이를 명분으로 살아있는 국왕의 생부인 흥선대원군에게 섭정을 맡겼다.

세도가 장동 김씨가 아닌 미약한 척신 가문 풍양 조씨와 왕실을 대표하는 종친부 수장인 흥선대원군과의 기막힌 정치적 결탁이었다.

멋진 전각에 조대비를 모시다

척신의 도움으로 집권했음에도 불구하고 흥선대원군은 장동 김씨에 대한 콤플렉스 때문에 척신정치를 알레르기 수준으로 기피했다.

하지만 흥선대원군 자신도 처가인 부대부인 민씨 집안 사람들을 조정에 많이 기용했다. 모순적인 행동이었지만 그만큼 왕실과 척신 가문간 공동운명체적인 사례의 반복인 셈이다.

흔히 우리가 아는 민씨 척족은 고종의 처가가 아닌 외가로써 왕비와는 관련이 없는 인물들이다. 혈혈단신 왕비의 주변에 사람이 오죽 없었으면 부대부인 민씨의 남동생 민승호를 왕비의 오빠로 둔갑시킬 정도였다. 왕비의 양오빠가 민승호이고 민승호의 친누이가 부대부인 민씨가 되는 이상한 호적 정리였다.

아무튼 대비 처소인 자경전 후원에 조성된 십장생 굴뚝은 유교 철학에서 벗어난 화려함으로 보물로 지정될 만큼 아름답다.

척신정치를 꺼리던 흥선대원군이 자신을 도와준 풍양 조씨 조대비에게 감사를 표하면서 동시에 현실정치에 관여하지 말고 편히 쉬라는 뜻에서 조성한 것은 아닐까.

성종 재위 시 왕실 여성들을 위한 창경궁의 조성과 정조가 즉위하며 생모 혜경궁 홍씨를 위해 지은 자경전을 모티브로 한 것으로 보인다.

13
우여곡절의 흥복전

대비전으로 조성된 흥복전

흥복전은 임란 이전에는 없었던 전각으로 1867년 경복궁 중건 초기에 조성된 전각이다. 영조의 잠저인 창의궁 함일재 건물을 이건해서 지었다고 한다.

참고로 흥선대원군이 경복궁 중건 시, 다른 건축물의 이건 방식 덕분에 중건 공사 기간은 불과 3년으로 엄청나게 효율적인 공사였다.

고종이 즉위할 때 왕실에는 3명의 대비가 있었고 따라서 이들을 모실 전각이 필요했다. 마치 성종 때 세조비 정희왕후, 예종비 안순왕후, 덕종비 소혜왕후(인수대비) 삼전(三殿)을 위해 창경궁을 조성할 때와 같은 이유였다.

대원군은 대왕대비 익종비 신정왕후 조씨를 위한 자경전과 왕대비 헌종비 효정왕후를 위한 만경전 그리고 대비 철종비 철인왕후를 위한 전각으로 흥복전을 조성한 것이다.

1872년 철종의 유일한 슬하의 자식인 영혜옹주의 부마를 이곳에서 간택하였다. 이때 2개월에 걸친 삼간택에 따라 훗날 왕실을 대표하는 친일파 중 하나가 되는 금릉위 박영효가 부마로 간택되었다.

편전과 정전으로 바뀌다

일반적으로 대비전의 위계를 보면 대왕대비-왕대비-대비 순이다. 대왕대비전인 자경전이 대비전각 중 가장 우위였지만 만경전과 흥복전의 위계는 모호했다. 철종이 순조의 양자로 즉위하여 헌종의 선대인 익종과 같은 항렬이 되기 때문이었다.

경복궁 중건 시 흥복전은 강녕전-교태전과 같은 중심축으로 함께 조성되었다. 아마도 임란 이전 세종 시기 경복궁의 위상을 계승하려는 의도인 듯하다.

자경전은 철저히 침전 형태로만 조성된 반면 흥복전은 편전의 구조도 있었다. 흥복전의 형태는 가운데 대청마루에 양측 온돌방 구조인데 건물 뒤편이 ㅁ자 형태의 폐쇄형 구조다.

강녕전의 앞마당 구조와 교태전의 앞마당 구조를 합한 복합적 형태로 조성되었다.

주요 전각 대부분이 전소된 두 차례의 경복궁 화재에서 이상하리만큼 장동 김씨 철인왕후의 거처인 흥복전만은 건재하였다. 따라서 경복궁 화재는 권력을 빼앗긴 장동 김씨의 소행으로 추정된다.

| 흥복전

마치 순조때 왕권 강화를 추구했던 효명세자 대리청정기 전·후로 발생한 두 차례의 창덕궁 대화재가 연상된다.

화재가 발생할 때마다 고종은 삼전(三殿, 왕실 내 여성 웃어른)과 함께 창덕궁으로 이어한 후 고종만 경복궁으로 환어했다. 이때부터 흥복전은 강녕전, 교태전 영역에서 벗어나 건청궁 영역으로 편입되며 편전으로 사용되었다.

흥복전 뒤로는 빈궁 소주방이 있고, 그 뒤로는 소편전과 소침전의 역할을 한 집경당과 함화당이, 그 뒤로는 향원지와 건청궁이 후원역할을 하며 경복궁 내 고종의 친정(親政) 공간이자 별궁 기능으로 변하게된다.

이러한 흥복전은 유난히도 넓은 마당 때문인지, 편전을 넘어 마치 작은 근정전과도 같았다.

그뿐만 아니라 외국 사신을 맞이하는 소규모 정전의 기능으로도 사용한 것으로 보인다. 고종은 흥복전에서 독일공사와 일본대리공사 그리고 영국총영사 등 외신들을 접견했다.

1890년 신정왕후 조씨가 자경전 공사로 이곳에서 승하했는데, 이때부터 흥복전은 역사에서 사라졌다.

흥복전은 1917년 화재로 전소된 창덕궁 대조전 영역의 재건 공사를 위해 헐렸다가 100여 년 만인 2019년 복원되었다.

14
건청궁 권역 집경당과 함화당

소(小)편전 집경당

집경당은 1890년(고종 27)에 지은 것으로 주로 진강(進講)을 했던 곳이다. 흥선대원군이 복원한 경복궁과는 달리 고종의 친정을 의미하는 '건청궁 권역'의 일부였다.

건청궁 관문각을 서양식으로 다시 지을 때 그곳의 책과 글 그리고 그림 등을 잠시 보관하기도 했다. 이후 왕실도서관 집옥재를 건립한 후 그리로 이관했다.

일제강점기 총독부박물관 사무실로 사용하여 지금까지 현존될 수 있었던 것이니 참으로 모순적이다. 1924년 일본의 미술평론가 야나기 무네요시는 조선민족박물관으로 사용하며 유물전시와 연구소로 사용하기도 했다.

| 집경당

소(小)침전 함화당

함화당은 2007년 수리 중 발견된 상량문에 의하면 침전으로 되어 있는데 건청궁과 번갈아 사용한 듯하다. 흥복전이 편전이라면 함화당은 국왕의 침전이고 향원지와 건청궁은 후원 일대로 봐야 할 것이다.

1894년 갑오왜란 당시 고종과 왕비는 이곳에 감금되어 이노우에 일본공사를 접견하던 곳이기도 하다.

집경당과 함화당은 2010년부터 설연휴에 실제로 아궁이에 불을 피워 온돌 체험을 하고 있다.

15

고종과 왕비의 공간 향원정

밤새 나랏일을 걱정하다

경복궁은 흥선대원군이 중건한 궁궐이라면, 건청궁은 경복궁 안에 고종이 만든 별궁이다. 그래서 경복궁의 경회지와 경회루는 건청궁의 향원지와 향원정과도 곧잘 비교된다.

경회루는 신하들의 근무처인 궐내각사의 뒤와 편전 옆에 조성되어 있어 군신 간의 공적인 만남의 공간이라면, 향원정은 후원영역으로 왕실 사람 또는 국왕과 근왕파의 사적인 만남의 공간이다.

건축 시기도 다소 다르다.

경회루는 경복궁이 중건될 때인 1867년 경복궁과 함께 완공되었고, 향원정은 고종이 친정하며 1873년에 완공한 건청궁 이후로도 한참 지난 1885년에야 조성되었다.

향원정의 위치가 세조 때 취로정 자리라고 하나, 확실하지도 중요하지도 않다. 다만 향원정 현판이 어필로 되어 있음은 고종의 관심도를 말해주고 있다. 또한 놀라운 것은 건축적으로 정자임에도 불구하고 온돌 시설이 있다는 것이다.

마루는 단기간의 휴식을 의미하지만, 온돌은 장기간의 휴식을 의미한다. 인공섬 구조로 주변과 격리된 향원정은 온돌마루 구조라서 년중 아무 때나 쉬고 주무실 수가 있었는데, 고종과 왕비는 향원정에서 밤새도록 무슨 이야기를 나누었을까?

1882년 러시아의 진출을 막으려는 청국이 자국의 이익을 위해 조선으로 하여금 미국을 비롯한 영국, 독일과 수교를 맺게 하였지만 다른 한편으로는 임오군란으로 조선에 대한 내정간섭도 해왔다. 심지어 2년 뒤인 1884년, 청국군은 갑신정변을 진압하며 조선정부에 대해 내정간섭이 더욱 심해지고 있었다.

이에 고종과 왕비는 도리어 청국이 그토록 두려워하던 러시아를 끌어들이며 역발상적인 인아거청(引俄拒淸) 외교 전략을 구사했고, 러시아의 행보에 민감한 영국이 전함을 거문도에 불법 상륙하는 일로 확대되며 청국을 외교적으로 궁지에 몰았다. 이런 혼란한 시기에 향원정이 조성된 것이다.

향원정과 향원지 주변의 아름다운 경치에 맞물려 감성적으로만 받아들이는 것은 관람객들의 자유다. 하지만 이 공간의 주인장은 그렇게 편한 마음으로 이 공간을 누렸다고만은 볼 수 없을 것 같다.

| 향원정과 향원지

왜곡된 근대화 실험장

서구 국가와의 첫 근대조약인 미국과의 조미수호통상조약 체결 이듬해인 1883년, 조선 정부는 미국에 공식 사절단인 보빙사를 파견했다. 미국 정부 입장에서도 조선과 처음 수교한 서양 국가이기에 조선의 보빙사를 기쁨으로 성심성의껏 응대해 주었고, 덕분에 보빙사 일행은 미국에서 많은 것을 볼 수 있었다.

미국 대륙을 횡단하며 수많은 신문물을 접한 보빙사는 조선의 근대화를 위해 최우선적으로 '전기' 도입을 결정했다.
전기는 어두운 밤에만 익숙했던 기존의 인식에서 서양의 문물을 받아들이면 얼마나 큰 변화가 있고, 그 변화가 모두에게 어떠한 혜택으로 다가가는지 알리기에 최적의 모델이었던 것이다.

이에 어디에서 전기생산을 할 것인가를 생각했고, 그곳은 향원지 주변이 되었다. 향원지는 건청궁 바로 남쪽에 위치했고, 무엇보다 취향교를 건너며 고종과 왕비가 수없는 국정 토론을 나눈 특별한 공간이었다. 전기생산을 하기 위해서는 반드시 발전기의 냉각수가 필요했는데, 향원지 주변은 이런 조건들이 모두 충족되는 최적의 장소였던 것이다.

그리고 결과는 대성공이었다.

1887년 3월, 촛불과 호롱불로만 불 밝히던 밤에 국내 최초의 발전소인 전기등소(電氣燈所)에서 생산된 16촉광(양초 16개 밝기)의 전기로 무려 750개의 백열등을 켜서 주변을 환하게 밝혔다.

이 최초의 전깃불은 단순한 불이 아니었다. 고종과 왕비 주도의 조선 정부가 본격적인 서구문물 수용화의 신호탄을 쏜 것이요, 일종의 축포인 셈이었다.

안타까운 것은 이토록 역사적 의미가 큰 최초의 전기 생산을 우리 스스로 비하하고 있다는 것이다. 그 시작은 미국에서 전기를 보고 온 보빙사 일원이자 개화파로서 훗날 친일파 활동을 한 유길준이 깎아내린 것에서 유래되었다.

그는 전기를 '마귀불'이라고 부르고, 발전기 냉각수로 향원지의 물이 이용되어 불이 켜지니 '물불'이라고 부른 것까지는 애교로 봐줄 수 있다. 이후 본격적으로 역사적인 전기 생산을 깎아내렸다.

불이 켜지면 엄청나게 밝지만 수시로 꺼졌다 켜지기를 반복하는 고장투성이라며 마치 겉모습만 번지르르하고 실속 없는 '건달불'이라고 비아냥거렸다.

유길준(1856~1914)은 누구인가?

1882년 조선 최초의 국비 일본 유학생이었고, 미국과의 수교 이듬해인 1883년 조선사절단인 보빙사로 미국까지 다녀온 당시 최고의 젊은 영재였다.

1884년 갑신정변이 실패로 돌아가자 개화파 인사들과의 친분으로 구금을 당했지만, 그를 아낀 한규설이 자기 집에 머물게하는 특혜로 목숨을 부지했다.

그런 유길준이 1894년 청일전쟁의 결과로 친일 괴뢰 갑오내각이 들어서자, 이듬해 조선을 식민지로 삼아야 한다는 '정한론'을 주장하던 후쿠자와 유키치가 설립한 일본 내 출판사에서 '서유견문'을 대량 출판했다.

배은망덕도 이만저만이 아니다. 이후 친일적인 행동을 서슴지 않던 그는 을사늑약 이후 일제의 흉계를 알고 소극적인 행동을 보였다. 하지만 시대의 젊은 지식인으로서 일제에 속아서 행한 섣부른 언행은 수많은 조선인들에게 악영향을 끼쳤다는 면에서 용서될 수는 없다.

아니나 다를까 전기에 관한 부정적인 인식은 향원지로 흘러 들어온 발전기 냉각수로 인해 수온이 올라가서 물고기가 떼죽음을 당하자 사기(史記)에서 언급되는 증어(蒸漁) 현상까지 들먹이고 망국의 징조라며 맞장구 쳐주는 안타까운 상황까지 전개되었다.

16
역사왜곡의 시발점 을미왜란

건청궁 영역의 탄생과 확장

건청궁은 고종이 등극한 지 10년이 되는 1873년, 흥선대원군의 섭정을 떨쳐내고 친정(親政)을 상징하는 별궁으로 경복궁 북측에 조성한 건물이다.

고종은 1876년 경복궁 화재로 창덕궁으로 이어하였는데, 그곳에서 1882년 군인들이 침궐했던 임오군란과 1884년 궁궐 안에서의 살생이 전투로까지 확산된 갑신정변 등 악몽을 겪었다. 이런 상황에서 고종이 이듬해 다시 경복궁으로 돌아온 것은 어쩌면 자연스러워 보인다.

그러나 전각 공간이 창덕궁에 비해 엄청나게 큰 경복궁은 궁궐 수비 측면으로 볼 때 비효율적이라 건청궁에 머문 것으로 보인다.

이에 건청궁 권역에서의 정착 의도로 향원지와 향원정을 조성했다고 볼 수 있다.

| 건청궁

　이어서 공적 기능을 부가하기 위해 1891년 집옥재, 협길당 그리고 팔우정을 창덕궁으로부터 이건해 와서 서양 외교관을 접견하는 공간으로 활용했다. 동시에 향원지 남쪽의 집경당, 함화당 및 흥복전을 건청궁 영역에 끌어들이며 건청궁 영역은 실질적인 고종과 왕비의 국정 공간으로 부상하게 되었다.

근대사 왜곡의 신호탄 을미왜란

　우리 근대사에서 가장 왜곡이 심한 것이 1895년 10월 8일, 경복궁 건청궁에서 발생한 왕비 살해 사건이다. 이 사건은 도대체 어디서부터 손을 봐야 할지 모를 지경이다.

왜곡의 시작은 사건 현장에 낭인으로 참여했던 기쿠치 겐조가 이토 히로부미의 명을 받아 1910년에 펴낸 왕비의 일생에 관한 저술 그리고 조선잡기(1931)와 근대조선이면사(1936) 등에서 출발한다.

기쿠치 겐조는 자신의 책에서 고종과 왕비 그리고 집권층의 정치적 무능함과 부패상을 부각하는 데 초점을 맞췄다. 이어 1925년 조선총독부 산하 '조선사편수회'를 통해 위와 같은 왜곡된 시각으로 한국사를 유린했다.

이에 을미왜란의 역사 왜곡을 하나씩 알아보자.

첫째, 사건의 명칭을 을미년에 발생한 사건이라 해서 을미사변(乙未事變)이라고 부르고 있다. 그런데 이런 용어는 어디에서 유래된 것일까. 결론부터 말하면 주조선 일본공사관에서 만든 용어다.

일본은 일제침탈기 이후 조선 내 주요한 정치 사건을 란(亂)과 변(變)으로 구분했다. 란(亂)은 거사에 성공한 것이고, 변(變)은 란(亂)을 준비하다가 모의 단계에서 실패한 것이라고 했다.

그런데 이런 뜻과는 달리 일본은 자신들이 연루되지 않은 사건은 거사에 성공한 '란(亂)'으로 하고, 자신들이 연루된 사건은 마치 모의 단계에서 실패한 것인 양 '변(變)'으로 왜곡했다.

우리 역사에서 '변(變)'이라는 용어로 불리는 사건은 일본이 연루된 갑신정변과 을미사변 뿐이다. 그러나 알다시피 두 사건은 일본이 거사에 성공한 사건이니 '갑신왜란'과 '을미왜란'으로 바꿔 불러야 한다.

그런 의미에서 당시 중립적인 외국 언론들이 모두 망명(Asylum)으로 보도한 고종의 '아관망명'을 '아관파천'이라고 부르는 것을 묵인하고 있는 작금의 현실과 마찬가지이다.

둘째, 을미왜란 당시 피해를 본 조선의 왕비는 민비가 아니고 명성황후다. 별호인 민비라고 불러서 틀린 것은 아니지만 일반적으로 사후에 내려진 특별한 이름인 시호(諡號)가 있는 경우 시호를 불러주는 것이 상식이자 예의다.

예를 들어 숙종의 계비를 민비라 부르지 않고 시호인 인현왕후라고 부르고 있기 때문이다. 그런데도 명성황후만 유독 '민비'라고 부르는 것에는 역사 왜곡의 인식을 내포하고 있는 것이다.

셋째, 명성황후는 시해(弑害)가 아니고 살해(殺害)를 당한 것이다.

단어 하나 가지고 옳고 그름을 따지는 시비를 하자는 것이 아니다. 여기에는 엄청난 왜곡이 숨어있기 때문이다.

살(殺)은 통칭 개념의 '죽인다'라는 뜻인 데 비해, 시(弑)는 '윗사람을 죽인다'로 한정된 뜻이다.

피해자는 나라의 어미인 국모(國母)이자 조선의 왕비 명성황후인데 그렇게 인식하는 사람은 조선인이지 일본인이 아니다.

따라서 '시해'라고 하면 일본인이 아닌 우리가 명성황후를 죽였다는 뜻이 된다. 일본이 왜란을 일으켜서 왕비를 죽였으니 '시해'가 아닌 '살해'라고 해야 한다.

"1895년 10월 8일, 건청궁에서 일본인에 의해 명성황후가 살해당하는 을미왜란이 발생했다."라는 표현이 언제쯤 일반적인 인식으로 자리를 잡을까.

17

을미왜란의 3단계 왜곡

을미왜란 진실에 다가가기

을미왜란은 1895년 10월 8일 새벽 5시, 주조선 일본공사 미우라의 지휘 아래 일본공사관 수비대 600명과 친일 조선군 훈련대 800명 그리고 낭인 56명이 경복궁 내 건청궁으로 난입해 명성황후를 살해한 사건이다.

이런 을미왜란에 대한 첫 궁금증은 대부분 이렇게 시작한다.

칼을 쓰는 사무라이로 구성된 낭인들은 명성황후를 어떻게 죽였을까? 왕비는 도망가다가 죽었을까? 아니면 드라마처럼 "내가 조선의 국모다"라고 외치며 당당한 모습으로 죽었을까?

이런 것에 우선적으로 관심이 있다면 아직도 일제에 의한 식민사관에서 헤어나지 못한 것이다.

을미왜란의 핵심은 두 가지다.

'일제는 왜 명성황후를 살해했을까?'와

'일제는 을미왜란의 진실을 어떻게 왜곡했을까?'이다.

　첫째 '일제는 왜 명성황후를 살해했을까?'

　'조선왕조실록'이나 '승정원일기' 등의 공식기록은 국왕 위주로 작성되었기 때문에, 왕비에 대한 기록은 전혀 없다. 그렇다면 어디에서 왕비와 관련된 기록을 찾을 수 있을까?

　당시 조선과 수교한 국가의 외교 문서고에서 극히 드물게 나타난다. 이것마저도 왕비가 조언했더라도 겉으로는 국왕이 한 일로 기록될 수밖에 없는 현실이다.

　그럼에도 불구하고 왕비(명성황후)에 관련해서 거의 유일하게 남아있는 기록이 러시아 외교문서고에 있다. 내용은 아래와 같다.

　　"왕비는 사람을 보내 러시아 연해주 총독을 접촉해서
　　주조선 러시아공사 베베르에게 포괄적인 재량권을 주라고
　　강력하게 요청했다."

　이를 통해 명성황후는 국난의 시기에 고종의 최측근으로 외교활동을 했음을 알 수 있고, 그것이 일제에게는 외교적 치명타였기에 일제는 '왕비 살해'라는 전무후무한 만행을 저지른 것이다.

　둘째 '일제는 어떤식으로 역사를 왜곡했을까?'

　을미왜란이 발발하던 날은 공교롭게도 친일 조선군대인 훈련대가 해산 명령을 받은 날이며, 그들이 불만을 품고 쿠데타를 일으킨 날이었다. 그런 훈련대가 사건의 현장인 건청궁 장안당 마당에 도열에 있었다는데 어찌 된 일인지... 그날 대원군은 왜 경복궁에 나타난 건지... 그리고 일본 낭인들의 존재는 무엇인지...

그날을 이해하기가 쉽지 않다. 그날의 역사왜곡에 대해 하나하나씩 사실을 알아보자.

왜곡 1단계, 강제 동원된 흥선대원군

일제는 을미왜란을 왜곡하기 위해 13년 전 임오군란을 모델로 삼았다. 당시 불만으로 봉기한 구식군대가 그들의 정당성을 확보하고 방패막이로 쓰기 위해, 정계에서 은퇴 후 무려 10년간 운현궁에 칩거 중인 노(老)정객 대원군에게 찾아가 자신들을 이끌어달라고 간청한 것이다.

임오군란으로 본의 아니게 다시 집권하게 된 대원군은 구식군대의 군란을 정당화하기 위해, 민씨 척족의 상징인 왕비의 빈전을 창경궁 환경전에 마련하는 국상을 통해 사망을 공식적으로 선언하며 성난 군인들을 위무했다.

1895년 을미년의 훈련대가 예전 임오년의 구식군대처럼 해산명령에 대한 불만으로 군란을 일으켰고, 그들은 임오년 때의 방식대로 또다시 대원군을 그들의 수장으로 모신다는 모양새를 갖춘 것이다.

하지만 제 한 몸 다루기도 어렵고 결과적으로 불과 3년 뒤 사망하는 대원군은 '뻔히 보이는 일제의 흉계'임을 처음부터 알았다.

더군다나 바로 1년 전인 1894년, 일본군이 경복궁을 군사점령 후 고종을 감금하고 일제의 입김으로 조성한 꼭두각시 친일 갑오내각의 수장으로 자신을 내세운 전력이 있었기 때문에 더욱 잘 알고 있었다.

이처럼 일제는 또다시 대원군의 관여로 흉계를 꾸미려 한 것이다. 대원군은 당연히 거부하였고 그로 인해 경복궁으로 대원군을 강제 동원하는데 시간이 지연되자 사건 당일 오전 06시경 도착함으로써 을미왜란의 현장이 그대로 노출되어 일제의 소행임이 밝혀지는 계기가 되었다.

왜곡 2단계, 훈련대의 반란

일제는 을미왜란에서 대원군이 무관하다는 것이 밝혀질 것을 대비해서 여전히 조선 내부의 소행으로 덮어씌우려는 2차 왜곡을 했는데 그것이 바로 훈련대의 존재였다.

1894년 7월 23일, 일본군의 경복궁 군사점령으로 발발된 갑오왜란 이후 주조선 일본공사 이노우에 가오루의 협박으로 조직된 친일적 조선 군대가 훈련대다.

청일전쟁에서 승전한 일본은 임오군란 이후 마치 청나라 감국대신 원세개(위안스카이)와 같은 위세로 조선 정부의 외교와 내정에 관해 강한 내정간섭을 해왔다.

| 곤녕합

이에 고종과 왕비는 동년 4월에 러시아를 중심으로 한 프랑스와 독일의 삼국간섭을 야기시켜 일본의 야욕을 꺾고, 갑오내각에 친미파(박정양, 윤치호, 이완용), 친러파(이범진) 그리고 동도서기론자(김윤식, 김가진)들을 입각시키며 내각 안에서의 친일세력을 약화시키며 국왕의 입지를 회복했다.

이런 상황에서 마침내 친일 군대인 훈련대에게 해산 명령을 내린 것이다.

그러자 그들은 임오군란 때처럼 해산 명령을 거부하고 반란을 일으키는 형태로 둔갑시키면서 일본과는 무관한 조선 내부의 문제로 왜곡한 것이다.

왜곡 3단계, 낭인의 존재

일제는 왜곡 1단계 대원군의 존재와 2단계 훈련대의 존재가 들통나서 결국 자신들이 저지른 만행으로 밝혀질 경우를 대비해 3단계 왜곡을 준비했다. 3단계 왜곡은 낭인(浪人)의 존재였다.

일반적으로 낭인을 '유랑하는 떠돌이 무사' 또는 '칼을 잘 쓰는 사무라이'라고 생각하고 있는데, 이것은 잘못된 인식이다.

사무라이는 '칼을 쓰는 무사(武士)'라는 인식은 16세기 말 일본의 전국통일 이전 봉건시대에 해당한다. 전국통일 후 에도막부 시기의 사무라이는 칼과는 무관한 실무관리자였다. 다만 허리에 칼을 차서 그들의 신분을 나타낸 것뿐이다.

그런데 메이지 유신으로 매우 늦게나마 일왕 중심의 중앙집권화가 일본 최초로 실시하게 되자, 지방 세력인 번(藩)이 붕괴되고 사무라이들이 대량으로 실직했다.

그들은 생계유지를 위해 신분의 상징이었던 허리에 찬 칼로 전쟁에 나가는 것이 아니라 일본 정부가 제공하는 일자리에 매달렸고, 그중 하나가 을미왜란이었다.

따라서 이들 낭인의 경력은 우리가 생각하는 떠돌이, 깡패, 건달들이 아니다. 이들은 교사, 퇴역군인, 기자 등의 경력뿐 아니라 미국 유학까지 다녀온 나름의 엘리트들이었다.

그렇다면 왜 이들은 을미왜란 현장에 동원된 것일까?

왕비 살해가 조선 내부의 소행이 아니고 일본의 소행이라고 밝혀지는 최악의 상황까지 되었을 때, 일본 정부의 소행이 아니라 한낱 일본 민간인들의 작은 소동으로 격하하자는 의도였다.

여기에는 이런 민간인들조차 제대로 막지 못하는 조선 정부의 허약한 이미지도 함께 고려한 것이다.

일제는 무엇을 감추려고 이렇게 3단계에 걸쳐서까지 왜곡한 것일까? 그것은 바로 을미왜란에 일본 정부의 관여가 있음을 숨기려 한 것이다. 왜냐하면 을미왜란 현장을 지휘하고 왕비를 직접 살해한 자들은 흥선대원군도 훈련대도 낭인도 아닌 주조선 일본공사관 무관들이었기 때문이다.

식민사학의 원흉, 기쿠치 겐조

을미왜란 당시 낭인의 한 사람으로 사건 현장에 있었던 기쿠치 겐조는 이 사건으로 추방된 후, 이듬해인 1896년 '조선왕국'을 썼다. 그리고 글재주가 있다 보니 일본 거류민 신문인 한성신보의 주필이 되기도 하였다.

이후 이토 히로부미의 명을 받아 작성한 '대원군전'을 비롯해 1930년 대한제국 황궁인 경운궁 파괴의 장본인 오다 쇼고와 함께 고종·순종실록 편찬 사업에 종사하는 등, 해방 전까지 한국에 거주하며 끝까지 한국사 왜곡에 전념하여 많은 책을 썼다.

그의 책들은 대중과 학계의 많은 관심사를 이끌었으며, 식민사학의 출발점이 되었다.

기쿠치 겐조, 그는 조선을 칼로 죽이고 펜으로 한 번 더 죽인 식민사학의 원흉인 것이다.

18
고종의 근대화 공간
집옥재 · 팔우정 · 협길당

경복궁 북측 향원정쯤 가면 다리도 아프고 입장 후 시간도 많이 지났을 것이다. 그래도 여기까지 간 것은 멋들어져 보이는 향원정과 명성황후의 살해 현장인 건청궁 때문이다.

그리고 북쪽 신무문으로 나가기 전 오른쪽에 뜬금없는 건물로 시선이 간다. 집옥재와 팔우정 그리고 협길당이다.

이곳에 대해 인터넷과 관련 서적 등 시중에 떠도는 이야기에는 안타깝게도 엉뚱한 내용들로 가득하다.

결론부터 말해서 이 지역은 건청궁을 중심으로 향원지와 흥복전 그리고 집경당, 함화당 등과 함께 구성된 고종의 근대화 공간이다.

고종의 접견실 집옥재

1873년 고종은 흥선대원군의 섭정을 벗어나 친정(親政) 목적으로 건청궁을 건립하고 머물렀다. 하지만 1876년(고종 13) 대화재로 창덕궁으로 이어한 고종은 그곳에서 임오군란과 갑신왜란을 겪은 후, 1885년(고종 22) 경복궁으로 환어했다.

그리고 이곳에서 오래도록 머물겠다는 의도로 향원지와 향원정을 바로 조성했다. 이어 1887년 향원지 남쪽에 전기등소를 조성해서 국내 최초로 전기불을 밝히기도 했다.

1884년, 갑신왜란 이후 톈진조약으로 청국과 일본은 각각 자국의 군대를 조선에서 철수시켰다. 이런 배경 속에서 조선 정부는 영국, 독일, 러시아, 프랑스 등 서양 국가들과의 본격적인 외교를 추진했다.

그렇다면 외교를 펼치기에는 어떤 장소가 좋을까?

후원만 넓은 창덕궁은 국정을 펼칠 공간이 너무 협소한 데다가 임오군란, 갑신왜란 등 안 좋은 기억이 있는 곳이고, 창경궁은 역대로 '비정치 궁궐'이었다. 경희궁은 경복궁 중건으로 많은 전각들을 이건하면서 궁궐의 기능을 잃었다. 그렇다면 경복궁은... 너무 넓고 국정을 펼치기에는 비효율적인 궁궐이다.

그래서 대안으로 떠오른 것이 경복궁 북측 지역에 있는 건청궁과 그 권역이었다.

향원지와 전기등소에 이어 1891년 창덕궁의 함녕전을 옮긴 것이 집옥재다. 집옥재는 경복궁 북문 신무문 인근에 있는 3개의 연속된 건물군으로 구성되어 있다.

| 좌측부터 팔우정·집옥재·협길당

가운데에 있는 청나라풍 중심 건물인 집옥재(集玉齋)는 옥(玉) 같은 귀한 보배를 모은다는 서재 겸 도서관처럼 지었다. 외교관을 맞이하는 공간은 국격이 있고 조선의 전통이 잘 드러나야 할 것이다. 그래서인지 4만 권의 책을 소장하여 도서관처럼 만들었다. 조선 후기 책가도(冊架圖)를 연상하면 된다.

구본신참의 집옥재 주변

건청궁 뒤로 국내 최초의 서양식 건축물인 관문각(觀文閣)이 들어섰을 때, 집옥재도 동시에 들어서며 그 아래로 서양식 시계탑이 조성되었다. 동·서양의 조화로 구성된 것이었다.

훗날 대한제국의 국시인 구본신참(舊本新參)이 떠오른다.

그리고 집옥재 우측으로는 전통적인 건축양식으로 '함께 복을 모은
다'는 협길당(協吉堂)이 들어섰다. 협길당은 아마도 서양 외교관을 만
나기 전에 잠시 쉬며 준비하던 공간이 아닐까?

2층 팔각형 형태의 유리로 된 팔우정(八隅亭)이 집옥재의 부속건물
로 서쪽에 있다. 아마도 서양 외교관들과의 공식적인 접견을 마친 후
편안한 담소를 나눈 장소로 보인다. 고종과 서양 외교관은 이곳에서
밖의 서양식 시계탑과 전통 후원 향원지에서 구름다리로 이어진 향원
정을 내다보며 조선의 아름다움을 감상했을 것 같다.
최초의 'K컬쳐 체험장'인 셈이다.

집옥재 일곽은 건청궁을 중심으로 향원지와 향원정 그리고 함화당,
집경당과 함께 대한제국 이전 고종의 본격적인 근대화를 추진한 공간
이었다.

다행스러운 것은 대부분이 현존하거나 복원이 되어있으니, 이에 대
한 공간인식의 변화가 필요하다.

19

역행에서 시민에게 돌아온 신무문

평화로웠던 닫힌 문

신무문(神武門)은 경복궁의 북문이다.

1395년(태조 4)에 완공한 경복궁이었지만, 북쪽은 궁장도 없이 목책 형태에 문도 없었던 엉성한 상태였다. 이후 38년이 지난 1433년(세종 15)에 북문을 건립하며 경복궁의 4대문이 완성되었다.

문의 이름은 그로부터 다시 40여 년이 지난 1475년(성종 6)에 이르러서야 창경궁 주요 전각의 이름을 지은 서거정이 지었다.

음기가 서린 북문인데다 찬밥 신세였던 신무문은 평소에도 사용할 일이 별로없어 늘 닫힌 상태로 있었다.

흥선대원군에 의해 경복궁이 중건될 때 정중앙에서 서측으로 치우친 위치에 신무문도 함께 중건되었다. 문 안 왼편에는 언제 조성되었는지 알 수 없는 '천하가 태평한 봄날과 같다'는 '천하태평춘(天下太平春)'이라는 글귀가 새겨져 있다.

흥선대원군의 섭정이 끝나고 고종의 친정으로 건청궁의 위상이 높아지자, 신무문 동측으로 건청궁에서 출입이 용이하게 암문 형태의 계무문(癸武門)과 광무문(廣武門)이 조성되었다.

일제강점기 청와대 자리에 조선총독관저가 들어서며 비공개 지역이었다가 1954년에 잠시 개방이 되었지만, 불과 7년 뒤 1961년 5·16 군사쿠데타로 수도경비사령부 30경비단이 주둔하자 다시 폐쇄되었다.

모반의 역사를 지켜 본 신무문

평소에 닫혀있는 신무문은 태종 때부터 300여 년 후 1728년 영조 이인좌의 난 때까지, 국왕과 공신들 간의 충성 맹약의 회맹제를 위해 청와대 본관 자리에 있던 회맹단(會盟壇)으로 갈 때 이용한 것이 가장 대표적이다. 그 외는 영조가 생모 숙빈 최씨의 사당 육상궁에 참배하러 갈 때 이용한 정도다.

이후 경복궁 중건으로 조성된 신무문 밖 후원과 문·무과 시험을 치른 경무대에 갈 때 출입했다. 하지만 신무문의 출입과 관련되어 가장 인상적인 것은 시대를 역행했던 두 가지 사건이다.

첫 번째는 1519년(중종 14) 중종이 백악산 아래 대은암 인근에 살던 근왕파 사림 남곤을 몰래 불러들여 신무문으로 입궐케 하여 조광조 등 사림파들을 주초위왕(走肖爲王) 사건으로 숙청시킨 기묘사화이다.

| 신무문

　오죽하면 털어서 먼지 하나 안 나는 조광조 세력을 처단하기 위해 벌레들이 잎사귀를 갉아 먹은 것을 두고 조광조의 역심을 드러낸 것이라고 한 것이다.

　이로 인해 철인(哲人) 군주주의를 주장하며 국왕에게 잔소리를 많이 하던 조광조는 처단당했다. 이 사건은 중종이 왕권 강화를 위해 이이제이(以夷制夷) 전략으로 했던 자작극이며, 남곤도 나름 피해자인 셈이었다.

　두 번째는 영화 '서울의 봄'으로 유명한 12·12군사반란(1979)을 일으킨 보안사령관 전두환 중심의 군대 내 사조직인 '하나회'가 정권 탈취를 위해 당시 정승화 계엄사령관을 대통령의 재가 없이 불법적으로 체포한 것이다.

당시 하나회는 경복궁 내 30경비단에 모여서 군사 반란을 추진했다. 공교롭게도 신무문 일대는 1961년 5·16군사쿠데타 이후 비공개 지역이어서 그들의 행위가 겉으로 즉각 알려지지는 않았다.

당일 18시, 그들은 자신들의 불법행위를 합법화하려고 신무문을 통해 총리공관으로 가서 최규하 대통령에게 계엄사령관에 대한 체포 동의안 재가를 요구했지만 거절당했다.

21시 30분, 전두환 일당은 여럿이 함께 다시금 신무문을 통해 총리공관으로 갔지만 또다시 재가를 받지 못했다.

결국 다음날, 도망갔다가 돌아온 노재현 국방부 장관의 결재를 받은 후 최규하 대통령에게 사후 결재를 받았기에 역사적으로는 불법으로 되어있다.

두 번의 역모를 지켜본 신무문은 2007년 건청궁 복원 공사와 함께 개방되며 시민의 품으로 돌아왔다.

이제는 매표소까지 조성되어 있어 문을 나서면 마주하는 청와대까지 연계 투어가 가능한 열린 공간이 되었다.

5대 궁궐의 특징

조선의 도읍지 한양에는 경복궁 · 창덕궁 · 경희궁 · 창경궁 그리고 덕수궁 등 다섯 개의 궁궐이 있다.

그런데 조선왕조는 다섯 개의 궁궐을 동시에 운영하지 않았다. 으뜸 궁궐인 법궁(法宮)과 화재나 전염병 등으로 국왕과 왕실이 옮길 필요가 있을 경우 사용하는 예비용 궁궐인 이궁(離宮) 등 두 개의 궁궐만을 운영하는 양궐(兩闕) 제도를 채택했다.

개경을 중심으로 시대별로 동경(경주), 서경(평양), 남경(한양)을 운영했던 고려의 양경(兩京) 제도와는 차별화된다.

그렇다면 조선왕조는 사용할 것도 아닌데 왜 궁궐이 다섯 개나 될까? 이렇게 많아진 가장 큰 이유는 무엇일까?

결론부터 말하자면 두 번에 걸친 일본의 침략으로 인한 우여곡절의 역사 때문이다.

따라서 언뜻 보기에는 다섯 개의 궁궐이 비슷해 보이지만, 궁궐이 조성되던 시기와 정치적인 환경에 따라 각각의 특징이 다르다. 이를 본격적으로 알아보기 전에 궁궐 별로 소략해 본다.

영원한 법궁, 경복궁

◆ ◆ ◆

1392년 조선을 건국한 태조는 2년 뒤 도읍지를 개경에서 한양으로 옮겼다. 이어 이듬해 10월, 백악산 주봉 아래 조선 최초의 궁궐 경복궁을 창건했다.

마치 마스터플랜을 가지고 건설하는 신도시처럼 넓게 다듬어진 부지에 경복궁이 조성되었다. 따라서 경복궁 내 건축물들은 남북의축을 중심으로 좌·우 대칭적으로 배치되며 왕조의 위엄과 군신 간의 위계질서를 나타냈다.

임진왜란으로 궁궐이 불타 없어질 때까지 경복궁은 조선왕조의 중심 궁궐인 법궁(法宮)의 위상을 잃은 적이 없었다. 따라서 대원군에 의해 중건되자마자 법궁의 위상을 바로 되찾은 것은 어쩌면 당연한 것이었다.

경복궁이 존재할 때는 조선의 법궁이었다. 그렇다면 존재하지 않았을 때는 어땠을까?

결론부터 말하자면 존재하지 않았어도 법궁의 인식을 잃은 적이 없었다. 임진왜란으로 경복궁이 존재하지 않았던 시기에도 인식 속의 경복궁을 중심으로 동쪽의 동궐(창덕궁, 창경궁)과 서쪽에는 서궐(경희궁)이 조성되었다.

따라서 경복궁은 있을 때나 없을 때나 조선왕조의 영원한 법궁이었다.

왕조와의 공동운명, 창덕궁

❖ ❖ ❖

한양천도 4년 뒤, 1398년(태조 7) 1차 왕자의 난으로 등극한 정종은 이듬해 개경으로 환도하였다. 하지만 1400년 2차 왕자의 난으로 집권한 태종은 여러 논란 끝에 5년 뒤 한양으로 재천도를 단행했다.

이때 창덕궁을 두 번째 궁궐로 조성하며, 고려의 양경제도와는 달리 조선의 양궐제도가 완성되었다. 이후 임진왜란 전까지 창덕궁은 예비용 궁궐인 이궁(離宮)으로 자리매김하였다.

그런데 임진왜란으로 불타 없어진 창덕궁은, 경복궁과는 달리 선조와 광해군에 의해 곧바로 중건되어 조선 후기 법궁으로 위상이 격상되었다.

하지만 흥선대원군이 경복궁을 중건하자 창덕궁은 곧바로 이궁으로 환원되었다. 한편 헤이그 특사 사건으로 일제에 의해 강제로 퇴위당한 고종황제에 이어 어쩔 수 없이 즉위한 순종황제가 창덕궁에 머물다가 1926년 승하하였다.

해방 후 마지막 황실 가족인 영친왕과 이방자 여사 그리고 덕혜옹주가 창덕궁 낙선재에서 사망했다.
1408년 태조가 창덕궁에서 승하한 것까지 거슬러 올라가면 창덕궁은 조선왕조와의 숙명적인 공동운명체 궁궐인 셈이다.

비정치 궁궐, 창경궁

◆ ◆ ◆

창경궁의 탄생은 세종에게 국정을 물려주고 상왕이 된 태종이 머물던 수창궁에서 시작되었다. 그 시작이 명분적으로는 '비정치 궁궐'이었다.

이후 어린 성종이 즉위 후 10년 만에 친정을 하게 되자 공식적인 수렴청정을 하던 대왕대비 정희왕후는 느닷없이 수창궁을 수리하게 하였다. 아마도 명분으로는 비정치를 내세웠지만 비공식적인 상왕의 위상을 유지하고 싶었던 것으로 보인다. 그런데 수창궁을 수리하던 중에 정희왕후가 승하하였다. 이에 성종은 생모 인수대비 그리고 예종비 안순왕후 등을 편안히 모신다는 명분으로 수창궁의 수리를 넘어 아예 새로운 궁궐로 만든 것이 창경궁이다.

이렇듯 창경궁은 비정치 궁궐이자 왕실 여성의 궁궐로 탄생되었다. 따라서 왕실의 출산, 잔치, 임종, 국상 등 생로병사를 담당하는 궁궐이 되었다. 그래서일까, 창경궁은 남향이 아닌 동향인 데다가 중심축도 군이 맞추지 않았다.

그리고 비정치 궁궐이라 세파를 겪지 않아서일까, 유일하게 금천의 수맥이 살아 있어서 지금도 물이 흐르고 있다. 덕분에 홍화문, 명정문, 명정전이 현존하는 오래된 궁궐 건축물 중 하나인 것이 우연은 아닌 듯하다.

왜곡된 경희궁

❖ ❖ ❖

　조선왕조는 임진왜란 이후 재조(再造) 과정에서 창덕궁과 창경궁 등 동궐을 중건했다.

　고구려, 백제의 예에서 보듯 국난을 당하면 도읍지를 옮기는 천도(遷都) 논란 속에서 광해군은 태조가 점지한 도읍지 한양을 떠나지 않기로 한 결과였다.

　이와는 별도로 광해군의 '무리한 궁궐 영건'이라며 대표적인 적폐(積弊)로 규정된 경희궁(당시는 경덕궁)은 인조반정으로 해체되어야 하는 운명이었다.

　그런데 인조는 즉위 초 이괄의 난과 정묘호란으로 동궐이 불타자 어쩔 수 없이 경희궁에 머물 수밖에 없었다. 이에 경희궁에 머물게 된 명분으로 거짓 유언비어를 만들어냈다. 이른바 경희궁 터가 원래 왕이 될 자의 집터였다는 '새문동왕기설'이다.

　이후 경복궁 중건에 필요한 건축 부재를 얻기 위해 주요 건물들을 제외한 대부분의 건물들을 해체·이건하면서 경희궁은 우리 손에 의해 실질적인 폐궁이 되었다.

　광해군의 적폐와 이를 합리화한 '새문동왕기설', 그리고 일제가 아닌 우리가 훼철한 것 등 경희궁의 역사는 왜곡과 오류의 연속이다.

국난극복의 공간, 덕수궁

❖ ❖ ❖

개국 이후 엄청난 국난인 임진왜란을 맞아 의주까지 피신했던 선조가 한양으로 환도를 했는데, 당시 모든 궁궐이 불타서 머물 곳이 없었다. 궁궐을 재건할 때까지 지금의 정동 지역에 잠시 머물며 '정릉동 행궁'이라 부른 것이 덕수궁(당시는 경운궁)의 시작이었다.

대략 300년 후 일제에 의해 왕비가 살해당하는 국란을 당해 경복궁에 유폐된 고종이 러시아 공사관으로 이어했다가 1년 뒤 환궁한 곳이 지금의 덕수궁이다.

덕수궁은 마치 약속이라도 한 듯 300년의 시차를 두고 선조와 고종이 국난을 극복하려는 의지로 찾은 곳이다.

덕수궁의 이런 숭고한 뜻과는 달리 일제에 의해 철저히 왜곡되었고, 지금까지도 왜곡된 해설이 가장 심한 곳이 바로 덕수궁이다.

그 예로 석조전은 대한제국을 상징하는 건축물이 아닌, 일제가 대한제국을 재정적으로 고갈시켜 국망을 초래시킨 건축물이다.

고종은 정관헌에서 커피를 마시지 않았고, 끝까지 홀로 일제에 투쟁하다가 결국 그들에 의해 함녕전에서 독살당했다.

한양길라잡이 책 시리즈

【궁궐투어 시리즈】 ❶ 영원한 법궁, 경복궁
❷ 국난극복의 공간, 덕수궁
❸ 비정치 궁궐, 창경궁
❹ 왕조와의 공동운명, 창덕궁
❺ 왜곡된 경희궁

【도보투어 시리즈】 ❶ 물길을 찾은 사람들, 서촌
❷ 황궁의 주변, 정동
❸ 백성들의 공간, 청계천
❹ 다시 꿈을 꾸는 북촌

【조선왕조 시리즈】 ❶ 한양을 담은, 한양도성
❷ 신들의 공간, 조선왕릉
❸ 제사의 나라, 조선

【이곳저곳 시리즈】 ❶ 근대와 독립의 공간, 서대문
❷ 경제침탈의 공간, 남대문로
❸ 일제침탈의 공간, 남산
❹ 한양의 중심, 종로

한양길라잡이 전문해설지침서 궁궐투어편 1

영원한 법궁, 경복궁

발 행 일   2024년 07월 15일
저   자   이상욱
발 행 처   도서출판 꽃우물
발 행 인   이은영
디 자 인   송은주
출판등록   제395-2024-000101호 (2024년 5월 17일)
주   소   경기도 고양시 덕양구 화중로 164, 563동 202호
대표전화   010-6257-1392
이 메 일   pangpang7106@naver.com

ISBN 979-11-987861-1-1 (03910)